À table en moins de 20 minutes

À table en moins de 20 minutes

marabout

Publié pour la première fois en Grande-Bretagne
en 2011 sous le titre *200 twenty-minute meals*.

Crédits photos © Octopus Publishing Group Limited/
Stephen Conroy, sauf les photos suivantes : Will Heap
pages 11 (bas), 14, 119, 133, 202, 221, 225 ;
Sandra Lane page 53 ; William Lingwood page 189 ;
David Munns pages 51, 69, 78, 100, 125 ;
Lis Parsons pages 9 (haut), 10 (bas), 16, 57, 59, 61,
75, 83, 87, 93, 169, 172, 179, 187, 197 ; Gareth
Sambidge pages 159, 213 ; William Shaw page 15
(bas) ; Ian Wallace pages 8, 15 (haut), 27, 29, 33,
39, 41, 95, 137, 161, 181.

Traduit de l'anglais par Simona Colletta, Catherine
Vandevyvere, Florence Raffy, Christine Chareyre,
Constance de Mascureau, Pascale Paolini.
Mise en pages : les PAOistes.
Relecture-correction : Véronique Dussidour.
Suivi éditorial : Natacha Kotchetkova.

Pour l'éditeur, le principe est d'utiliser des papiers
composés de fibres naturelles, renouvelables,
recyclables et fabriquées à partir de bois issus de forêts
qui adoptent un système d'aménagement durable.
En outre, l'éditeur attend de ses fournisseurs de papier
qu'ils s'inscrivent dans une démarche de certification
environnementale reconnue.

ISBN : 978-2-501-07619-7
Dépôt légal : janvier 2012
41.0365.1/01
Imprimé en Espagne par Impresia-Cayfosa

sommaire

introduction

Il est 19 h 30, votre train est en retard parce qu'il n'y a pas de conducteur, il va bientôt faire nuit, il faut encore étendre la lessive que vous avez lancée ce matin, vider le lave-vaisselle, et vous mourez de faim ! Ce ne sont pas les meilleures circonstances pour se mettre à cuisiner mais, admettons-le, c'est ce qui se passe réellement la plupart des lundis, mardis, mercredis et jeudis. Nous aurions pu appeler cet ouvrage « Le Livre des recettes pour les débordés, du lundi au jeudi », car ce sont ces jours-là où nous avons tendance à improviser un repas en quelques minutes seulement. Et si préparer quelque chose de bon en 20 minutes n'est pas envisageable, souvent nous finissons par sortir un plat industriel tout prêt du congélateur et le réchauffer au micro-ondes, tout en prenant un air coupable. Ou encore, nous refermons le placard et nous nous faisons livrer.

Dans ce livre, petit mais très utile, nous vous adressons un message clair : gardez votre argent ! Le temps qu'il vous faudra pour réchauffer au four le plat préparé est le même que pour cuisiner un repas fait maison, délicieux et nutritif. Et, la plupart du temps, pour un prix inférieur à celui du plat préparé. Pour cela, il vous faut des ingrédients de base dans votre placard, quelques ustensiles de cuisine et un tout petit peu de temps pour planifier les repas.

prévoir les menus

Pour ceux qui travaillent toute la journée, que ce soit à la maison pour garder les enfants ou à l'extérieur, ce n'est pas facile de trouver le temps de se poser afin de faire des menus pour la semaine. Mais si vous les planifiez, vous ne vous retrouverez plus, à 19 h 30, devant un réfrigérateur ouvert, le ventre gargouillant, sans savoir quoi préparer. Tout ce que vous aurez à faire, c'est regarder votre liste de menus et sortir les ingrédients nécessaires. Nous vous garantissons qu'en l'espace de 20 minutes, vous serez bien installé à table, en train de savourer votre dîner fait maison.

Alors ce soir après le dîner, au lieu de rester devant la télé – de toute façon, il n'y a rien d'intéressant –, prenez un peu le temps de découvrir ce livre. Choisissez 4 ou 5 recettes qui vous tentent, puis allumez votre ordina-

teur et faites vos courses en ligne. Accrochez la liste au réfrigérateur et cochez les repas à mesure que vous les cuisinerez. Cela vous permettra, à vous ou à votre conjoint(e), de savoir quels aliments ont été achetés et pour quels repas, ce qui veut aussi dire moins de gaspillage. Désormais, vous ne perdrez plus de temps à chercher des idées de bons petits plats savoureux.

Pour faire des menus, prenez en compte ces quelques critères. Premièrement, choisissez les recettes qui vous feront plaisir, à vous et à toute votre famille. Essayez d'innover le plus possible en introduisant de nouveaux ingrédients. Deuxièmement, tenez compte de votre budget. Troisièmement, ne négligez pas l'aspect sain et équilibré.

une bonne alimentation pour tous

Afin de vous assurer un régime alimentaire équilibré, nous vous conseillons de varier les aliments au cours de la semaine. Cela vous apportera une multitude de nutriments et vous ne vous ennuierez pas à préparer toujours les mêmes plats. Ainsi, si vous cuisinez pour une famille, vous pourrez servir à chacun son aliment préféré au moins 1 fois par semaine.

Les fruits et les légumes sont très importants pour votre santé et votre vitalité ; ils doivent remplir au moins un tiers de votre assiette. Ils sont pleins de vitamines et de minéraux comme le fer, le potassium, le zinc et le calcium, qui aident votre organisme à bien fonctionner. Si vous avez un rythme de vie dense et stressant, les fruits et les légumes sont d'autant plus importants car ils apportent beaucoup d'antioxydants, utiles pour la prévention des maladies. Se rappeler toutes les qualités nutritionnelles des aliments est presque impossible ; essayez donc de vous tenir à une règle simple : manger tous les jours des fruits et des légumes orange et rouges (comme les poivrons rouges, les tomates, les radis, les abricots, les carottes,

les oranges et les potirons), ainsi que des herbes et des légumes vert foncé (comme les brocolis, le persil ou les épinards) afin de faire le plein d'antioxydants. Et n'oubliez pas que plus les fruits et les légumes sont frais, plus ils seront bénéfiques pour vous.

En lisant ce livre, vous remarquerez qu'il comprend beaucoup de recettes à base de légumes cuits à la vapeur ou au wok. Nous avons choisi ces modes de cuisson non seulement parce qu'ils sont rapides et efficaces, mais aussi parce que la chaleur détruit les vitamines ; en réduisant le temps de cuisson, vous augmenterez donc l'apport nutritionnel de vos repas.

Les protéines doivent représenter un autre tiers de votre assiette. Il est important de mélanger les sources de protéines. Fini le temps où la viande était l'aliment protéiné numéro un. Aujourd'hui, il est recommandé de consommer, outre les viandes rouges et la volaille, des poissons riches en oméga et des fruits de mer (idéalement, au moins 2 fois par semaine), des graines, des produits laitiers pauvres en matières grasses (fromages, lait et yaourts), des œufs et, bien évidemment, beaucoup de légumineuses. Quand vous choisissez vos aliments protéinés, pensez qu'à poids égal, les haricots secs contiennent presque la même quantité de protéines qu'un steak, à un prix inférieur et avec davantage de qualités nutritionnelles. Les haricots sont riches en minéraux et sont conseillés dans la prévention des maladies cardio-vasculaires, de l'ostéoporose et de différents types de cancers. Ils ont aussi un indice glycémique bas et apportent l'énergie lentement, ce qui est très important pour les diabétiques. Pour pouvoir cuisiner rapidement, les recettes de ce livre vous suggèrent des haricots en conserve, plutôt que des haricots secs, qui ont besoin d'être trempés à l'avance.

Les glucides complexes doivent constituer le dernier tiers de votre assiette et être à la base de votre alimentation. Ils sont fondamentaux pour donner à nos cellules l'énergie dont elles ont besoin. C'est pour cette raison que quand on rentre du travail à 19 heures et qu'on n'a pas mangé depuis midi, on se jette souvent sur des biscuits ou des crackers pour calmer la sensation de faim. Notre corps (et notre cerveau !) ressent un manque de glucose et demande de l'énergie immédiate. Les glucides complexes ne proviennent pas seulement des céréales complètes comme l'avoine, le riz brun, le pain et les pâtes, mais aussi des pommes de terre, des patates douces, du maïs, ainsi que des piments et des tomates. Beaucoup de recettes de ce livre utilisent des légumes savoureux qui vous garantiront un bon apport en énergie et en fibres.

Une fois vos menus planifiés, achetez tous les ingrédients nécessaires. Et pourquoi ne pas jeter un coup d'œil à notre liste d'ingrédients de base (page 13) ? En stockant ces aliments dans votre cuisine, vous serez en mesure de concocter un bon repas sans problème et en un rien de temps.

quelques ingrédients à avoir en stock

Certains aliments, comme la viande, la volaille, le poisson, les fruits et les légumes, devraient idéalement être achetés le plus frais possible et pour un plat précis afin de réduire le gaspillage. Toutefois, il y a des ingrédients frais que vous pouvez toujours garder au réfrigérateur ou au congélateur et qui sont utiles pour un grand nombre de recettes.

Dans votre congélateur, conservez du gingembre frais dans des sacs de congélation ; râpez-le directement dans la casserole, sans le décongeler. Les piments rouges peuvent aussi être congelés dans des sacs et vous n'aurez qu'à les sortir quelques minutes à l'avance. Les herbes peuvent être congelées ; sachez toutefois qu'elles perdent un peu de leur arôme et de leur goût après congélation. La plupart des produits de boulangerie, les bases de pâte pour pizza, les naans et les pitas peuvent être gardés au congélateur et cuits sans décongélation, ou décongelés en quelques minutes au micro-ondes.

Dans le réfrigérateur, nous vous recommandons d'avoir une brique de crème fraîche, un pot de crème fraîche épaisse, une bouteille de lait UHT, du beurre, des œufs, du fromage et du yaourt nature. Tous ces aliments peuvent être utilisés dans plusieurs recettes de ce livre, et vous les emploierez sûrement avant leur date de péremption !

à stocker dans votre garde-manger

- De la purée de tomates en conserve et une bouteille de passata (coulis de tomate).
- Des dés de tomate en conserve.
- Des féculents en conserve, y compris des

pois chiches.

- Des légumes en conserve.
- Un bocal d'olives noires dénoyautées en saumure.
- Du poisson en conserve (saumon ou thon).
- Des cubes de bouillon (de légumes, de poulet, de poisson, de bœuf, d'agneau).
- Des épices (cumin, coriandre, cannelle, 5-épices, safran, mélange d'herbes, mélange d'épices, noix de muscade).
- Du gingembre, de la citronnelle et de la pâte d'ail en bocaux (une incroyable économie de temps, avec un moindre compromis sur la saveur).
- Différentes huiles (d'olive, d'arachide et de sésame).
- Des sauces soja claire et foncée.
- De la sauce aux piments doux.
- De la sauce Worcestershire.
- Du sel et du poivre.
- Du vinaigre, balsamique et blanc.
- Des graines de moutarde et de la moutarde de Dijon.
- Des flocons de piment séché.
- Des pâtes et des nouilles.
- Du riz blanc et du riz brun (le brun est beaucoup plus sain, mais il a besoin de 10 minutes supplémentaires pour cuire).
- Du nuoc-mâm.
- Quelques sachets de fruits à coque (noix de cajou, amandes et cacahuètes sont particulièrement utiles).
- Des feuilles de citron vert.
- Du lait de coco.
- De la farine ordinaire, de la farine à levure incorporée et de la Maïzena.

les ustensiles indispensables

Préparer un bon plat en peu de temps est quelque chose qui s'apprend avec la pratique, mais il y a des ustensiles de cuisine incontournables qui vous aideront à créer un repas succulent en quelques minutes seulement. Parmi ces ustensiles, comptez une batterie de casseroles de bonne qualité munies d'un couvercle, une passoire et un tamis assez grands, et au moins 2 plaques de four. Pour un équipement standard, procurez-vous une écumoire, une pelle à poisson, un presse-purée, une pince, une spatule, un économe, un fouet, quelques saladiers et verres doseurs, ainsi que des couteaux de bonne qualité. Ils pourraient aussi vous être utiles :

- Un robot ménager et ses différents accessoires comme un fouet électrique, des disques pour trancher et une lame classique. Même s'il est vrai que l'on peut couper, râper, trancher, pétrir et mélanger à la main, un robot peut faire toutes ces choses rapidement et efficacement en vous faisant économiser du temps et de l'énergie. C'est un outil essentiel du cuisinier débordé et pressé.
- Un mixeur, parfait pour les soupes.
- Un presse-ail pour écraser l'ail en quelques secondes.
- Un cuit-vapeur à 2 ou à 3 étages.
- Une râpe à boîte, plus pratique à utiliser qu'une râpe classique.
- Un micro-ondes pour décongeler et cuire certains aliments.

une cuisine fonctionnelle

Vous avez peut-être tous les ingrédients de base dans vos placards et plein de bons produits dans le réfrigérateur, mais, pour cuisiner, vous avez besoin d'un espace de travail bien organisé. Pour être fonctionnelle, votre cuisine doit être bien rangée afin que vous ne perdiez pas de temps à chercher les ustensiles dont vous avez besoin.

Mettez les gros ustensiles comme la louche, la pelle à poisson et les grosses cuillères dans un pot et placez-les à côté du plan de cuisson pour pouvoir les atteindre facilement. Réfléchissez sur le lieu où ranger les objets

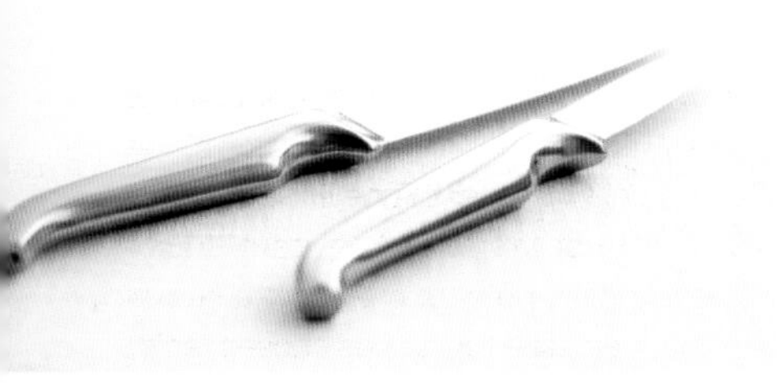

que vous utilisez le plus souvent : plats à four, râpe, presse-ail, robot ménager, verres doseurs et, bien évidemment, votre collection de couteaux bien affûtés. Ils doivent être faciles à atteindre et non engouffrés au fond d'un placard surchargé ou derrière une pile de vaisselle lourde. Vous seriez surpris de découvrir combien nos habitudes nous poussent à ranger certaines choses à des endroits précis seulement parce qu'elles y ont toujours été, depuis des années, et pourtant ces rangements sont cause de stress et nous font perdre notre temps lorsque nous cuisinons. Même si cela nécessite 1 ou 2 heures de rangement pendant le week-end, bien organiser votre cuisine est primordial et vous aidera dans votre mission de préparation des repas.

au moment de servir

Lorsque vous êtes enfin prêt à servir, devoir nettoyer et préparer la table à la dernière minute ne fait qu'ajouter de la tension, et cela veut dire que vos plats, préparés avec soin, vont refroidir pendant que vous vous pressez de ranger la salle à manger. Si vous mangez avec votre famille ou des amis, demandez-leur de mettre la table pendant que vous cuisinez ; c'est une bonne habitude à donner aux enfants, et une façon de vous remercier pour les amis. La table est prête, le vin coule à flots et le repas est servi bien chaud dans les assiettes. Vous n'avez plus qu'à savourer ce que vous avez préparé et à vous réjouir du fait que vous avez composé cette recette magique en moins de temps qu'il ne vous en aurait fallu pour vous rendre chez le traiteur et revenir. Parfois les meilleures choses sont aussi les plus simples. Régalez-vous donc, et bon appétit !

sur le pouce

dip à l'ail et aux flageolets

Pour **4 personnes**
Préparation **5 minutes**

425 g de **flageolets** en conserve, égouttés
125 g de **fromage à tartiner**
2 gousses d'**ail** hachées
3 c. à s. de **pesto**
2 **ciboules** hachées
1 c. à s. d'**huile d'olive**
sel et **poivre**

Pour servir
allumettes de **concombre**
4 **pitas**

Mixez les flageolets, le fromage, l'ail et 2 cuillerées à soupe de pesto jusqu'à obtenir une crème onctueuse.

Ajoutez les ciboules, salez, poivrez et mixez encore 10 secondes. Disposez le dip dans un ramequin et laissez refroidir. Mixez le pesto restant avec l'huile d'olive et versez ce mélange sur le dip avant de servir avec les allumettes de concombre et les pitas légèrement grillées et coupées en gros morceaux.

Pour un dip à l'houmous et à la feta, mixez 400 g de pois chiches en conserve égouttés, 3 cuillerées à soupe de tahini, 3 cuillerées à soupe de jus de citron, 50 ml d'eau, ½ cuillerée à café de cumin moulu, 1 gousse d'ail écrasée, du sel et du poivre. Sans arrêter le moteur, versez 2 cuillerées à soupe d'huile d'olive par le goulot du robot et mixez jusqu'à obtenir une crème onctueuse. Versez-la dans un ramequin et émiettez 100 g de feta par-dessus. Servez avec des allumettes de crudités ou avec des pitas grillées.

œufs cocotte au saumon fumé

Pour **4 personnes**
Préparation **5 minutes**
Cuisson **10 à 15 minutes**

200 g de chutes de **saumon fumé**
2 c. à s. de **ciboulette** ciselée
4 **œufs**
4 c. à s. de **crème fraîche épaisse**
pain grillé
poivre

Répartissez les chutes de saumon fumé et la ciboulette dans 4 ramequins beurrés. Formez un petit puits au centre avec le dos d'une cuillère. Cassez 1 œuf dans chaque puits, poivrez et nappez de crème fraîche.

Déposez les ramequins dans un plat à gratin et remplissez ce dernier d'eau bouillante jusqu'à mi-hauteur. Faites cuire 10 à 15 minutes dans un four préchauffé à 180 °C jusqu'à ce que les œufs aient pris.

Sortez le plat du four et laissez refroidir quelques minutes avant de servir avec du pain grillé.

Pour des œufs cocotte aux champignons et au thym, faites chauffer une noix de beurre dans une poêle et faites revenir 1 petit oignon émincé. Ajoutez 150 g de champignons de Paris émincés et les feuilles de 1 branche de thym puis faites cuire jusqu'à ce que tout le liquide se soit évaporé. Assaisonnez avec du sel, du poivre et un peu de noix de muscade. Répartissez la préparation dans 4 ramequins, cassez 1 œuf dans chaque ramequin et ajoutez 1 cuillerée à soupe de crème fraîche épaisse. Faites cuire comme ci-dessus puis servez avec du pain grillé.

brochettes de poulet au poivre

Pour **4 personnes**
Préparation **10 minutes**
+ marinade
Cuisson **10 minutes**

4 **blancs de poulet** de 150 g chacun
2 c. à s. de **romarin** haché finement + un peu pour garnir
2 gousses d'**ail** finement hachées
2 c. à s. de **jus de citron**
2 c. à c. de **moutarde**
1 c. à s. de **miel** clair
2 c. à c. de **poivre noir**
1 c. à s. d'**huile d'olive**
1 pincée de **sel**

Pour servir
quartiers de **citron**

Mettez 1 blanc de poulet entre 2 feuilles de film alimentaire et aplatissez-le avec un rouleau à pâtisserie ou un maillet à viande. Répétez l'opération avec les autres blancs de poulet, puis coupez-les en lamelles.

Placez les lamelles de poulet dans un saladier non métallique et ajoutez les autres ingrédients. Mélangez bien, puis couvrez et laissez mariner 5 à 10 minutes au réfrigérateur.

Enfilez le poulet sur 8 brochettes et faites-les griller sous le gril du four 5 minutes de chaque côté. Garnissez avec le romarin puis servez avec quelques quartiers de citron.

Pour des brochettes de bœuf à la sauce aux piments doux et au sésame, coupez 750 g de rumsteck ou de gîte de bœuf en lamelles longues et épaisses. Mettez-les dans un bol, ajoutez un filet d'huile d'olive, salez et poivrez. Enfilez-les sur des brochettes et faites-les cuire 1 minute de chaque côté sous le gril préchauffé. Retirez les brochettes du feu, enduisez-les de sauce aux piments doux et parsemez-les de graines de sésame. Remettez-les sur le gril quelques minutes jusqu'à ce qu'elles soient dorées et cuites à l'intérieur.

ciabatta tomate-mozzarella

Pour **2 personnes**
Préparation **5 minutes**
Cuisson **12 minutes**

2 **ciabattas**
50 g de **mozzarella**
2 grosses **tomates**
1 gros **avocat** ou 2 petits
1 c. à s. de **basilic** grossièrement haché
poivre

Posez les ciabattas sur une feuille de papier sulfurisé et faites-les chauffer 10 minutes environ au four préchauffé à 180 °C.

Coupez la mozzarella et les tomates en fines tranches. Coupez l'avocat en deux, dénoyautez-le, pelez-le puis coupez-le en tranches.

Sortez les ciabattas du four et coupez-les en deux horizontalement. Disposez l'avocat, la mozzarella et les tomates sur les 2 moitiés inférieures des ciabattas, ajoutez du basilic et du poivre, puis remettez-les au four pour 2 à 3 minutes, jusqu'à ce que la mozzarella commence à fondre. Refermez les ciabattas avec les 2 parties supérieures et servez immédiatement.

Pour des ciabattas à la mozzarella et aux poivrons grillés, faites chauffer puis coupez 2 ciabattas comme ci-dessus. Étalez 1 cuillerée à café de pesto sur les moitiés inférieures des ciabattas, formez des couches avec la mozzarella et quelques poivrons grillés en bocal, égouttés. Ajoutez le basilic puis assaisonnez (éliminez les avocats et les tomates). Faites cuire au four comme ci-dessus.

salade pamplemousse-crevettes

Pour **4 personnes**
Préparation **15 minutes**
Cuisson **1 à 2 minutes**

1 gros **pamplemousse**
125 g de **cacahuètes** grillées grossièrement hachées
175 g de grosses **crevettes** crues décortiquées
4 **ciboules**
6 feuilles de **menthe**
2 c. à s. de **jus de pamplemousse**
½ c. à s. de **nuoc-mâm**
1 gros **piment rouge** épépiné et finement tranché
1 pincée de **flocons de piment séché** ou de **grains de poivre noir** concassés
1 pincée de **noix de muscade** râpée

Coupez le pamplemousse en deux et prélevez les segments et le jus. Retirez la peau blanche et coupez les segments en petits morceaux. Mélangez les cacahuètes et la chair de pamplemousse. Réservez pour laisser les saveurs se mélanger.

Portez de l'eau à ébullition et faites cuire les crevettes 1 à 2 minutes jusqu'à ce qu'elles soient roses. Retirez-les à l'aide d'une écumoire et égouttez-les bien.

Coupez la ciboule et la menthe en fines lanières. Mélangez les crevettes, le jus de pamplemousse, le nuoc-mâm, les ciboules et la menthe avec le pamplemousse.

Saupoudrez la salade de piment rouge, de piment séché ou de poivre noir et de noix de muscade. Mélangez. Servez aussitôt.

Pour une salade crevettes-pamplemousse aux vermicelles, faites tremper 150 g de vermicelles de riz 5 minutes dans de l'eau chaude. Mélangez le jus de 1 citron vert, 1 cuillerée à soupe de sauce aux piments doux et 1 cuillerée à café de nuoc-mâm. Égouttez les vermicelles et mélangez-les avec la sauce. Préparez la suite de la salade comme ci-dessus. Mélangez tous les ingrédients, décorez de cacahuètes et d'herbes fraîches hachées.

petits pains au bœuf thaï pimenté

Pour **4 personnes**
Préparation **5 minutes**
Cuisson **4 minutes**

500 g de **faux-filet** paré
1 c. à s. d'**huile d'olive**
4 **petits pains**
4 brins de **coriandre** fraîche
4 brins de **basilic thaï** ou classique
4 brins de **menthe**

Vinaigrette
2 c. à s. de **nuoc-mâm**
2 c. à s. de **jus de citron vert**
2 c. à s. de **cassonade** blonde
1 gros **piment rouge** coupé en fines lamelles
sel et **poivre**

Faites chauffer une poêle-gril jusqu'à ce qu'elle soit très chaude. Badigeonnez la viande d'huile d'olive, salez et poivrez. Faites-la cuire à feu vif 2 minutes de chaque côté ; elle doit être juste saisie. Réservez-la 5 minutes, puis coupez-la en fines lanières. La viande doit être bleue.

Pendant ce temps, préparez la vinaigrette. Mettez le nuoc-mâm, le jus de citron vert et la cassonade dans un bol, puis incorporez le piment. Fouettez jusqu'à ce que la cassonade fonde. Coupez les petits pains en deux et garnissez-les avec les herbes, les lanières de bœuf et son jus de cuisson. Versez délicatement la vinaigrette par-dessus puis servez.

Pour une salade de bœuf thaï, faites cuire la viande, laissez-la reposer puis coupez-la comme ci-dessus. Mélangez-la dans un saladier avec 1 petit concombre coupé en rondelles, 250 g de tomates cerises coupées en deux, 100 g de fèves et 1 poignée de feuilles de basilic thaï ou classique, de coriandre fraîche et de menthe. Mélangez le jus de ½ citron vert avec 1 cuillerée à café d'huile de sésame, 1 cuillerée à café de sucre en poudre, 1 cuillerée à café de nuoc-mâm et 1 cuillerée à café d'huile d'arachide. Versez sur la salade, mélangez bien pour répartir la sauce puis servez.

crêpes chinoises au poulet

Pour **4 personnes**
Préparation **10 minutes**
Cuisson **10 minutes**

4 **blancs de poulet** de 150 g chacun
6 c. à s. de **sauce hoisin**

Pour servir
12 **crêpes chinoises**
½ **concombre** coupé en allumettes
12 **ciboules** finement hachées
1 poignée de feuilles de **coriandre**
4 c. à s. de **sauce hoisin** mélangées avec 3 c. à s. d'**eau**

Mettez chaque blanc de poulet entre 2 feuilles de film alimentaire et aplatissez-les avec un maillet à viande. Déplacez-les sur une feuille de papier sulfurisé et badigeonnez-les avec la moitié de la sauce hoisin.

Faites griller les blancs de poulet dans une poêle chaude. Retournez-les au bout de 4 minutes, badigeonnez avec l'autre moitié de la sauce et faites-les griller 3 minutes.

Faites chauffer les crêpes 3 minutes environ dans un panier vapeur en bambou.

Coupez le poulet en tranches fines. Servez avec les crêpes accompagnées du concombre, des ciboules, de la coriandre et de la sauce hoisin diluée, servie dans des petits bols, pour que chacun puisse composer sa crêpe.

Pour des crêpes au poulet saté, dans un plat non métallique, mélangez 6 cuillerées à soupe de sauce soja foncée, 2 cuillerées à soupe d'huile de sésame et 1 cuillerée à café de 5-épices. Ajoutez les blancs de poulet aplatis et enduisez-les de marinade. Couvrez et laissez mariner au réfrigérateur. Dans une casserole, mélangez 4 cuillerées à soupe de beurre de cacahuètes, 1 cuillerée à soupe de sauce soja, ½ cuillerée à café de cumin moulu, ½ cuillerée à café de coriandre, 1 pincée de paprika et 8 cuillerées à soupe d'eau. Laissez cuire à petit feu. Présentez le mélange dans 4 petits bols. Faites cuire le poulet et les crêpes comme ci-dessus.

rösti aux œufs et au jambon

Pour **2 personnes**
Préparation **10 minutes**
Cuisson **10 à 12 minutes**

500 g de **pommes de terre** à chair ferme, pelées (bintje ou désirée)
25 g de **beurre**
2 **œufs**
2 tranches de **jambon fumé**
sel et **poivre**
ketchup pour servir

Râpez les pommes de terre avec une râpe universelle à gros trous et posez-les sur un torchon propre. Enroulez-les dans un torchon en pressant pour retirer l'excès d'humidité. Mettez-les dans un saladier. Salez et poivrez.

Faites fondre le beurre dans une grande poêle antiadhésive. Divisez le mélange de pommes de terre en quatre et formez 4 galettes de 10 cm de diamètre. Faites cuire dans la poêle à feu moyen 5 à 6 minutes de chaque côté, jusqu'à ce que les galettes soient légèrement dorées.

Pendant ce temps, faites pocher ou frire les œufs. Servez 2 röstis par personne, recouverts de 1 œuf, de 1 tranche de jambon fumé et d'un peu de ketchup.

Pour des röstis de patate douce aux œufs et aux épinards, râpez 250 g de patates douces et 250 g de pommes de terre à chair ferme et mélangez le tout. Préparez et faites cuire les röstis comme ci-dessus. Servez-les recouverts de 1 œuf poché et de 1 poignée de jeunes pousses d'épinard.

minitartines au fromage de chèvre

Pour **4 personnes**
Préparation **10 minutes**
Cuisson **3 à 5 minutes**

8 tranches de **baguette** ou de **ciabatta**
1 c. à s. de **romarin** finement haché
½ c. à c. de **poivre rouge** ou **noir**
150 g de **fromage de chèvre** en bûche de 5 cm de diamètre
un peu de **blanc d'œuf** battu

Salsa
100 g de **piments piquillo** en conserve, égouttés
1 **ciboule** finement hachée
1 c. à s. de **jus de citron vert**
2 c. à c. de **sucre en poudre**

Faites griller les tranches de baguette ou de ciabatta de chaque côté et disposez-les sur un plat de service.

Pour la salsa, émincez les piquillos le plus finement possible et mélangez-les avec la ciboule, le jus de citron vert et le sucre dans un bol.

Enduisez légèrement d'huile d'olive une plaque de four couverte de papier d'aluminium. Mélangez le romarin et le poivre dans un plat.

Badigeonnez de blanc d'œuf battu la croûte du fromage, puis roulez-le dans le mélange de poivre et de romarin. Coupez le fromage en 8 tranches de 1 cm d'épaisseur et disposez-les sur la plaque.

Faites cuire sous le gril préchauffé jusqu'à ce que le fromage commence à bouillonner et à dorer. Étalez 1 cuillerée de salsa sur les tranches de pain, puis posez 1 tranche de fromage cuit et servez.

Pour des tartines au halloumi et à la tapenade, remplacez le chèvre par 150 g de fromage halloumi coupé en tranches de 1 cm d'épaisseur. Omettez le mélange de romarin et de poivre. Badigeonnez le halloumi de blanc d'œuf battu et faites cuire comme ci-dessus. Mixez 75 g d'olives noires dénoyautées, 1 cuillerée à soupe de câpres, 1 gousse d'ail coupée et 2 cuillerées à soupe d'huile d'olive quelques secondes pour obtenir une texture grossière. Mettez-en 1 cuillerée sur le halloumi doré, complétez avec 1 poignée de basilic haché puis servez.

soupe aux haricots noirs et soba

Pour **4 personnes**
Préparation **10 minutes**
Cuisson **10 minutes**

200 g de **nouilles soba** sèches
2 c. à s. d'**huile d'arachide** ou **végétale**
1 botte de **ciboules** émincées
2 gousses d'**ail** grossièrement hachées
1 **piment rouge** épépiné et coupé en tranches
3,5 cm de **gingembre frais** pelé et râpé
125 ml de **sauce de haricots noirs**
750 ml de **bouillon de légumes**
200 g de **chou chinois**, feuilles déchiquetées
2 c. à c. de **sauce soja**
1 c. à c. de **sucre en poudre**
50 g de **cacahuètes** non salées

Faites cuire les nouilles 5 minutes dans une casserole d'eau bouillante, ou en suivant les instructions de l'emballage.

Faites chauffer l'huile dans une casserole et faites revenir les ciboules et l'ail 1 minute. Ajoutez le piment, le gingembre, la sauce de haricots noirs, le bouillon et portez à ébullition. Incorporez le chou, la sauce soja, le sucre et les cacahuètes, puis réduisez le feu et laissez mijoter 4 minutes.

Égouttez les nouilles, rincez-les à l'eau chaude et répartissez-les dans 4 bols à l'aide d'une cuillère. Versez un peu de soupe puis servez.

Pour de la soupe aux haricots noirs et au poulet, faites cuire les nouilles comme ci-dessus. Faites chauffer l'huile dans une poêle, ajoutez 3 cuisses de poulet désossées, sans peau, et coupées en petits morceaux et faites cuire 4 à 5 minutes, jusqu'à ce qu'elles soient cuites à l'intérieur. Ajoutez les ciboules et l'ail, et continuez comme ci-dessus, en remplaçant le bouillon de légumes par du bouillon de poulet et en omettant les cacahuètes.

bruschetta bœuf-brocoli

Pour **4 personnes**
Préparation **5 minutes**
Cuisson **10 minutes**

375 g de fleurettes de **brocoli**
500 g de **faux-filet**
75 ml d'**huile d'olive vierge extra**
4 tranches de **pain au levain**
2 gousses d'**ail** émincées
1 petit **piment rouge** épépiné et coupé en fines lamelles
1 c. à s. de **vinaigre balsamique**
150 g de pousses de **roquette**
sel et **poivre**

Faites blanchir le brocoli 2 minutes dans de l'eau bouillante salée. Égouttez-le puis passez-le sous l'eau froide. Égouttez-le de nouveau.

Badigeonnez la viande avec 1 cuillerée à soupe d'huile d'olive, salez et poivrez. Faites chauffer une poêle-gril et faites cuire la viande à feu vif 2 minutes de chaque côté. Retirez le gril du feu, réservez la viande 5 minutes, puis coupez-la en lanières épaisses.

Faites de nouveau chauffer la poêle-gril et faites griller les tranches de pain 2 minutes de chaque côté.

Faites chauffer le reste de l'huile dans un wok ou une poêle et faites sauter l'ail et le piment 1 minute. Ajoutez les fleurettes de brocoli et faites sauter 1 minute. Incorporez le vinaigre, puis retirez le wok du feu. Mélangez les brocolis, le bœuf et la roquette dans un saladier.

Disposez les tranches de pain sur des assiettes et recouvrez-les de salade au bœuf puis servez.

Pour une bruschetta au bœuf à la sauce au raifort, préparez la viande et faites-la cuire comme ci-dessus. Puis faites griller les tranches de pain au levain. Mélangez la viande avec 125 g de cresson dans un saladier. Disposez les tranches de pain dans des assiettes, recouvrez-les de cresson et de bœuf. Battez 2 cuillerées à soupe de crème fraîche, 2 cuillerées à café de sauce au raifort et 1 cuillerée à café de vinaigre de vin blanc. Salez et poivrez. Versez sur la bruschetta puis servez.

tortilla pizza au salami

Pour **2 personnes**
Préparation **5 minutes**
Cuisson **8 à 10 minutes**

2 grandes **tortillas de blé** ou 2 **pitas**
4 c. à s. de **sauce tomate** toute prête
100 g de tranches de **salami** épicé
150 g de **mozzarella** coupée en tranches fines
1 c. à s. de feuilles d'**origan** + quelques-unes pour décorer
sel et **poivre**

Placez les tortillas ou les pitas sur 2 grandes plaques de four. Étalez dessus la moitié de la sauce tomate jusqu'aux bords. Disposez sur la sauce tomate la moitié des tranches de salami et de mozzarella ainsi que les feuilles d'origan.

Faites cuire 8 à 10 minutes au four préchauffé à 200 °C, jusqu'à ce que le fromage fonde et que la pâte soit dorée. Décorez avec des feuilles d'origan puis servez.

Pour une quesadilla au salami, tomates et mozzarella, étalez 1 grande tortilla ou 1 pita sur le plan de travail. Garnissez-la avec 2 cuillerées à soupe de sauce tomate, 50 g de tranches de salami, 75 g de mozzarella coupée en dés et quelques feuilles de basilic. Placez une seconde tortilla sur la première. Faites chauffer une grande poêle ou une poêle-gril. Quand elle est bien chaude, posez la quesadilla dessus et faites-la griller 2 à 3 minutes. Retournez-la et faites-la cuire sur l'autre face. Coupez la quesadilla en parts puis servez.

croque-moutarde

Pour **4 personnes**
Préparation **5 minutes**
Cuisson **10 minutes**

25 g de **beurre**
4 **ciboules** finement hachées
250 g de **gruyère** râpé
50 ml de **bière**
2 c. à c. de **moutarde**
4 tranches de **pain complet**
poivre

Faites chauffer le beurre dans une poêle et faites revenir les ciboules 5 minutes, jusqu'à ce qu'elles soient tendres.

Baissez le feu et incorporez le fromage, la bière et la moutarde. Poivrez bien, puis remuez doucement 3 à 4 minutes, jusqu'à ce que le fromage fonde.

Faites griller légèrement le pain des deux côtés. Versez la sauce au fromage sur chaque tranche et remettez 1 minute sous le gril préchauffé. Servez avec une salade de laitue sucrine, radis et tomates.

Pour des croques aux épinards et aux œufs, faites griller légèrement le pain et réservez-le. Faites fondre 200 g de feuilles d'épinard dans une casserole avec 3 cuillerées à soupe d'eau, 1 gousse d'ail écrasée, du sel et du poivre. Égouttez bien. Couvrez chaque tranche de pain avec les épinards et 4 cuillerées à soupe de parmesan râpé. Pochez 4 petits œufs dans une petite casserole d'eau bouillante (faites cuire 1 seul œuf à la fois et créez un tourbillon dans l'eau avant d'y plonger l'œuf). Faites cuire sous le gril préchauffé, puis ajoutez l'œuf poché sur le fromage.

pâtes, nouilles & riz

fusillis au parmesan et aux pignons

Pour **4 personnes**
Préparation **5 minutes**
Cuisson **10 minutes**

300 g de **fusillis** frais ou secs
125 g de **pignons de pin**
75 g de **beurre**
2 c. à s. d'**huile d'olive**
1 poignée de **basilic**
75 g de **parmesan** râpé
sel et **poivre**

Faites cuire les pâtes dans une grande casserole d'eau bouillante salée en suivant les instructions de l'emballage.

Faites dorer les pignons sous le gril préchauffé à puissance moyenne, ou dans une poêle sans ajouter de matières grasses. Remuez-les souvent pour qu'ils brunissent uniformément. Dans une petite casserole, faites fondre le beurre avec l'huile d'olive.

Égouttez les pâtes et remettez-les dans la casserole. Incorporez la moitié du basilic, ajoutez le mélange de beurre fondu et d'huile d'olive, salez, poivrez puis remuez.

Répartissez les pâtes dans des assiettes chaudes, parsemez de pignons et de parmesan puis ajoutez le reste du basilic. Servez immédiatement.

Pour des fusillis à l'oignon rouge et au fromage de chèvre, faites chauffer l'huile d'olive dans une poêle et faites revenir 2 oignons rouges finement hachés, à feu doux, jusqu'à ce qu'ils soient tendres. Ajoutez 2 cuillerées à soupe de vinaigre balsamique et laissez réduire jusqu'à obtenir un sirop. Faites cuire les pâtes comme ci-dessus, égouttez-les puis incorporez-les à la sauce. À l'aide d'une cuillère, disposez-les dans des bols, émiettez 200 g de fromage de chèvre par-dessus et parsemez de feuilles de basilic.

tagliatelles aux lardons et aux champignons

Pour **4 personnes**
Préparation **10 minutes**
Cuisson **10 minutes**

375 g de **tagliatelles** sèches
1 c. à s. d'**huile végétale**
1 **poivron jaune** épépiné et coupé en lamelles
2 gousses d'**ail** écrasées
125 g de **champignons** émincés
125 g de **lardons fumés**
3 c. à s. de **persil** haché
sel et **poivre**
500 g de **fromage blanc** ou de **yaourt nature**
25 g de **pignons de pin** grillés (voir page 46)

Faites cuire les pâtes dans une grande casserole d'eau bouillante salée en suivant les instructions de l'emballage.

Faites chauffer l'huile dans une poêle et faites revenir le poivron 2 à 3 minutes à feu moyen. Incorporez l'ail, les champignons, les lardons et le persil. Poivrez et laissez cuire encore 3 minutes. Réduisez le feu et incorporez le fromage blanc ou le yaourt. Faites chauffer à feu doux, en remuant.

Égouttez les pâtes puis remettez-les dans la casserole. Incorporez la sauce et parsemez de pignons. Servez immédiatement avec de la salade verte et de la ciabatta fraîche si vous le souhaitez.

Pour des tagliatelles à la carbonara, faites cuire les pâtes comme ci-dessus. Faites chauffer l'huile dans une poêle à feu moyen et faites revenir les lardons et 3 ciboules hachées 3 à 4 minutes jusqu'à ce que les lardons soient dorés et croquants. Mettez 4 jaunes d'œufs et 125 ml de crème liquide dans un bol, salez, poivrez et battez à la fourchette. Égouttez les pâtes et faites-les sauter en les mélangeant avec la sauce à l'œuf, puis ajoutez le mélange lardons-ciboules et 2 cuillerées à soupe de persil haché. Servez immédiatement.

nouilles aux gambas et au pak choi

Pour **4 personnes**
Préparation **5 minutes**
Cuisson **12 minutes**

250 g de **nouilles chinoises aux œufs**
3 c. à s. d'**huile végétale**
2 c. à s. de **graines de sésame**
2,5 cm de **gingembre frais** pelé et finement haché
1 gousse d'**ail** écrasée
20 **gambas** décortiquées
3 c. à s. de **sauce soja** allégée en sel
2 c. à s. de **sauce aux piments doux**
2 **pak choi**, feuilles séparées
4 **ciboules** émincées
1 poignée de **coriandre** fraîche hachée
2 c. à s. d'**huile de sésame**

Faites cuire les nouilles en suivant les instructions de l'emballage. Égouttez-les.

Faites chauffer 2 cuillerées à soupe d'huile végétale dans une grande poêle. Ajoutez les nouilles en les aplatissant de façon qu'elles couvrent le fond de la poêle. Faites dorer 3 à 4 minutes de chaque côté, à feu vif. Ajoutez les graines de sésame.

Faites chauffer le reste de l'huile dans un wok et faites revenir le gingembre et l'ail 1 minute, puis ajoutez les gambas et faites cuire encore 2 minutes. Ajoutez la sauce soja, la sauce aux piments doux et portez à ébullition, puis baissez le feu et laissez mijoter 1 à 2 minutes. Ajoutez le chou et remuez jusqu'à ce qu'il commence à se flétrir.

Disposez les nouilles dans une grande assiette et ajoutez les gambas et le chou. Parsemez de ciboules et de coriandre, puis versez un filet d'huile de sésame.

Pour une poêlé de gambas à la citronnelle, faites chauffer un peu d'huile végétale dans un wok et faites revenir 2 minutes 2 échalotes émincées, 2 tiges de citronnelle émincées, 1 piment épépiné et haché, 1 gousse d'ail écrasée et 1,5 cm de gingembre frais pelé et émincé. Ajoutez 20 gambas décortiquées et laissez-les rosir. Ajoutez 6 cuillerées à soupe de sauce soja allégée en sel, 2 cuillerées à soupe d'huile de sésame et le jus de 1 citron vert. Parsemez de 2 cuillerées à soupe de coriandre hachée.

riz sauté aux haricots et au tofu

Pour **4 personnes**
Préparation **10 minutes**
Cuisson **10 minutes**

environ 750 ml d'**huile de tournesol** pour la friture
125 g de **tofu frit** coupé en dés
2 **œufs**
250 g de **riz cuit** froid
1 ½ à 2 c. à s. de **sauce soja** claire
2 c. à c. de **flocons de piment séché**
1 c. à c. de **nuoc-mâm** ou de **sel**
125 g de **haricots verts** finement hachés
25 g de **menthe** croustillante pour servir (facultatif)

Faites chauffer l'huile dans un wok et faites frire le tofu à température moyenne jusqu'à ce qu'il soit doré de tous les côtés. Sortez-le de l'huile avec une écumoire, égouttez-le sur du papier absorbant et réservez-le.

Videz l'huile du wok en y laissant 2 cuillerées à soupe. Faites chauffer cette huile puis cassez-y les œufs, percez les jaunes et mélangez.

Ajoutez le riz, la sauce soja, les piments, le nuoc-mâm ou le sel et les haricots verts puis faites revenir 3 à 4 minutes. Incorporez le tofu et réchauffez 2 à 3 minutes.

Transvasez sur un plat et servez avec des feuilles de menthe croustillantes si vous le souhaitez.

Pour du riz sauté aux crevettes, faites chauffer 2 cuillerées à soupe d'huile d'arachide dans un wok ou une grande poêle. Quand l'huile est très chaude, ajoutez 250 g de riz cuit froid, 1 cuillerée à soupe de gingembre frais râpé, 3 petits piments épépinés et émincés, 4 ciboules émincées et 500 g de petites crevettes crues décortiquées et faites cuire 5 minutes jusqu'à ce que les crevettes changent de couleur. Arrosez de 2 cuillerées à soupe de sauce soja puis servez.

pesto alla genovese

Pour **4 personnes**
Préparation **10 minutes**
Cuisson **15 minutes**

75 g de **basilic**
25 g de **pignons de pin**
2 gousses d'**ail** écrasées
2 c. à s. de **parmesan** râpé + un peu pour servir
1 c. à s. de **pecorino** râpé
3 c. à s. d'**huile d'olive**
250 g de **pommes de terre nouvelles** grattées et coupées en fines tranches
400 g de **trenette** ou **linguine** sèches
150 g de **haricots verts** parés

Broyez le basilic, les pignons et l'ail dans un mortier jusqu'à former une pâte. Incorporez les fromages, puis ajoutez progressivement l'huile d'olive, tout en remuant avec une cuillère en bois. Vous pouvez aussi mixer le basilic, les pignons et l'ail dans un robot. Ajoutez les fromages et mixez brièvement puis, sans éteindre le moteur, versez l'huile d'olive par le goulot.

Faites cuire les pommes de terre 5 minutes dans une grande casserole d'eau bouillante salée, ajoutez les pâtes et faites-les cuire le temps indiqué sur l'emballage. Ajoutez les haricots verts 5 minutes avant la fin de la cuisson.

Égouttez les pâtes et les légumes, gardez 2 cuillerées à soupe d'eau de cuisson. Remettez les pâtes et les légumes dans la casserole, incorporez le pesto et l'eau de cuisson. Servez avec du parmesan râpé.

Pour des penne aux tomates séchées et à la feta, préparez le pesto comme ci-dessus. Faites cuire 400 g de penne dans une grande casserole d'eau bouillante salée en suivant les instructions de l'emballage. Faites dorer 1 poignée de pignons de pin dans une poêle (attention à ne pas les brûler). Coupez en morceaux 8 tomates séchées. Égouttez les pâtes, mélangez-les au pesto et aux tomates séchées et parsemez de pignons et de 100 g de feta émiettée. Servez avec une salade verte.

papardelle aux cèpes et prosciutto

Pour **4 personnes**
Préparation **10 minutes**
Cuisson **10 minutes**

400 g de **papardelle** fraîches ou sèches
2 c. à s. d'**huile d'olive**
1 gousse d'**ail** écrasée
250 g de **cèpes frais** émincés
250 g de tranches de **prosciutto**
150 ml de **crème liquide**
1 poignée de **persil plat** haché
75 g de **parmesan** fraîchement râpé
sel et **poivre**

Faites cuire les pâtes dans une grande casserole d'eau bouillante salée, en suivant les instructions de l'emballage si vous utilisez des pâtes sèches, ou 2 à 3 minutes pour des pâtes fraîches.

Pendant ce temps, faites chauffer l'huile d'olive dans une casserole sur feu moyen, puis faites revenir l'ail et les cèpes 4 minutes, en remuant. Coupez le prosciutto en lanières et ajoutez-les aux cèpes avec la crème et le persil. Salez et poivrez. Portez à ébullition, puis baissez le feu et laissez frémir 1 minute.

Égouttez les pâtes, versez-les dans la sauce et mélangez à l'aide de 2 cuillères pour les enrober de sauce de façon homogène. Saupoudrez de parmesan, mélangez bien et servez sans attendre.

Pour des spaghettis aux cèpes séchés et aux pignons de pin, faites tremper 125 g de cèpes dans de l'eau chaude pendant 15 minutes pour les réhydrater. Égouttez-les, réservez l'eau de trempage, puis séchez-les avec du papier absorbant. Faites cuire 400 g de spaghettis. Faites revenir les cèpes dans l'huile d'olive, ajoutez le liquide de trempage dans la poêle et faites bouillir jusqu'à ce qu'il se soit presque évaporé. Ajoutez la crème liquide et le prosciutto. Dans une poêle, faites griller 2 cuillerées à soupe de pignons de pin puis ajoutez-les à la sauce. Égouttez les pâtes puis mélangez-les avec la sauce. Servez sans attendre.

lasagnes au thon et à la roquette

Pour **4 personnes**
Préparation **10 minutes**
Cuisson **10 minutes**

8 **feuilles de lasagne**
1 c. à s. d'**huile d'olive**
1 botte de **ciboules** coupées en tranches
2 **courgettes** coupées en dés
500 g de **tomates cerises** coupées en quatre
400 g de **thon au naturel** en conserve, égoutté
65 g de **roquette**
4 c. à c. de **pesto**
sel et **poivre**
basilic pour décorer

Faites cuire les feuilles de lasagne dans une grande casserole d'eau bouillante salée en suivant les instructions de l'emballage. Égouttez-les et gardez-les au chaud dans la casserole.

Faites chauffer l'huile d'olive dans une poêle à feu moyen et faites revenir les ciboules et les courgettes 3 minutes, tout en remuant. Retirez la poêle du feu, ajoutez les tomates, le thon et la roquette et faites-les sauter.

Déposez un peu de sauce au thon dans 4 assiettes et couvrez avec une feuille de lasagne. Ajoutez ensuite la sauce restante et recouvrez avec une autre feuille de lasagne. Poivrez bien et ajoutez 1 cuillerée à café de pesto et quelques feuilles de basilic avant de servir.

Pour des lasagnes au saumon, utilisez 400 g de filets de saumon. Faites cuire les filets 2 à 3 minutes de chaque côté, retirez les arêtes et la peau, puis émiettez-les et utilisez-les à la place du thon.

carbonara végétarienne

Pour **4 personnes**
Préparation **5 minutes**
Cuisson **15 minutes**

400 g de **penne**
2 c. à s. d'**huile d'olive**
2 gousses d'**ail** finement hachées
3 **courgettes** coupées en fines rondelles
6 **ciboules** coupées en tronçons de 1 cm de long
4 **jaunes d'œufs**
100 ml de **crème fraîche**
75 g de **parmesan** râpé + un peu pour servir
sel et **poivre**

Faites cuire les pâtes dans une grande casserole d'eau bouillante salée en suivant les instructions de l'emballage.

Faites chauffer l'huile d'olive à feu moyen dans une poêle à fond épais, ajoutez l'ail, les courgettes, les ciboules, et faites cuire 4 à 5 minutes, tout en remuant, jusqu'à ce que les courgettes soient tendres. Retirez la poêle du feu.

Mettez les jaunes d'œufs dans un bol, salez et poivrez généreusement. Battez le tout à l'aide d'une fourchette.

Lorsque les pâtes sont presque cuites, remettez la poêle avec les courgettes sur le feu. Incorporez la crème fraîche et portez à ébullition.

Égouttez bien les pâtes et remettez-les immédiatement dans la poêle. Ajoutez les œufs battus, le parmesan et les courgettes à la crème. Mélangez bien puis servez avec du parmesan râpé.

Pour une carbonara aux asperges, remplacez les courgettes par 250 g de pointes d'asperge. Coupez-les en tronçons de 2,5 cm et faites-les cuire de la même façon que les courgettes.

salade thaïe de nouilles au poulet

Pour **4 personnes**
Préparation **10 minutes**
Cuisson **10 minutes**

250 g de **nouilles de riz** fines
6 c. à s. de **sauce pimentée thaïe douce**
2 c. à s. de **nuoc-mâm**
le jus de 2 **citrons verts**
2 **blancs de poulet** cuits, sans la peau
1 **concombre** taillé en rubans
1 **piment rouge** finement haché
1 petite poignée de feuilles de **coriandre**

Mettez les nouilles dans un grand saladier résistant à la chaleur et couvrez-les d'eau bouillante. Laissez reposer 6 à 8 minutes jusqu'à ce qu'elles soient cuites, puis égouttez-les et rincez-les soigneusement sous l'eau froide.

Dans un bol, fouettez ensemble la sauce pimentée, le nuoc-mâm et le jus de citron vert. Déchiquetez le poulet et mélangez-le à la sauce.

Ajoutez les nouilles, le concombre et le piment à la préparation au poulet, puis remuez délicatement. Parsemez de feuilles de coriandre et servez aussitôt.

Pour une salade de nouilles aux fruits de mer, remplacez le poulet par 500 g de crevettes et 200 g de moules cuites et décortiquées, et la coriandre par 1 petite poignée de feuilles de basilic.

pâtes au bleu

Pour **4 personnes**
Préparation **10 minutes**
Cuisson **10 minutes**

375 g de **conchiglie** (coquillages)
2 c. à s. d'**huile d'olive**
6 petites **ciboules** émincées
150 g de **gorgonzola** coupé en dés
200 g de **fromage frais**
sel et **poivre**
3 c. à s. de **ciboulette** ciselée pour décorer

Faites cuire les pâtes dans de l'eau bouillante salée en suivant les instructions du paquet.

Pendant ce temps, faites chauffer l'huile d'olive dans une grande poêle et faites-y revenir les ciboules 2 à 3 minutes à feu moyen. Ajoutez le gorgonzola et le fromage frais puis poursuivez la cuisson, en remuant constamment, jusqu'à l'obtention d'un mélange lisse.

Égouttez les pâtes et versez-les dans un plat de service chaud. Arrosez-les de sauce. Salez et poivrez. Parsemez de ciboulette ciselée et servez aussitôt.

Pour des chaussons en pâte filo, faites revenir 3 poireaux émincés jusqu'à ce qu'ils soient bien fondants. Laissez refroidir. Mélangez les poireaux aux 2 fromages, comme indiqué ci-dessus. Ajoutez 3 cuillerées à soupe de ciboulette. Faites fondre 75 g de beurre dans une casserole. Déposez 8 feuilles de pâte filo sur une assiette et recouvrez-les d'un torchon humide. Coupez chaque feuille de pâte filo en 3 bandes que vous badigeonnerez de beurre fondu. Déposez 1 cuillerée à café de préparation au fromage à un bout de chaque bande. Repliez la pâte en diagonale de manière à enfermer la farce. Continuez de replier la pâte sur elle-même jusqu'à l'obtention d'un petit paquet triangulaire. Badigeonnez de beurre fondu et posez les petits paquets sur une plaque de cuisson. Vous devez obtenir environ 24 petits chaussons. Faites cuire 8 à 10 minutes dans un four préchauffé à 220 °C. Servez bien chaud.

tagliatelles à la sauce au crabe

Pour **4 personnes**
Préparation **5 minutes**
Cuisson **15 minutes**

300 g de **tagliatelles** fraîches ou sèches
2 c. à s. d'**huile d'olive**
2 **échalotes** hachées
200 g de **chair de crabe** fraîche
1 à 2 pincées de **flocons de piment séché**
le **zeste** râpé et le **jus** de 1 **citron**
200 ml de **crème fraîche épaisse**
1 poignée de **ciboulette** ciselée
sel et **poivre**
75 g de **parmesan** râpé, pour servir

Faites cuire les pâtes dans une grande casserole d'eau bouillante ou en suivant les indications du paquet.

Dans une autre casserole, faites chauffer l'huile d'olive et faites revenir les échalotes jusqu'à ce qu'elles soient tendres, sans être colorées. Ajoutez la chair de crabe, les flocons de piment séché, le zeste et le jus du citron, salez et poivrez.

Ajoutez la crème fraîche à ce mélange puis portez à ébullition. Incorporez la ciboulette.

Égouttez bien les pâtes et remettez-les dans la casserole en les mélangeant avec la sauce au crabe. Réchauffez rapidement puis servez, accompagné d'un bol de parmesan râpé.

Pour des tagliatelles crémeuses aux bâtonnets de crabe et sauce à l'aneth, faites cuire les pâtes comme ci-dessus. Faites revenir 2 grosses gousses d'ail écrasées avec les échalotes comme ci-dessus. Ajoutez 150 ml de vin blanc, 4 cuillerées à soupe de crème fraîche épaisse et 1 poignée d'aneth frais haché. Incorporez à la sauce les pâtes égouttées et 250 g de bâtonnets de crabe coupés en lamelles. Assaisonnez avec du sel et du poivre puis servez.

penne thon-épinard-tomate

Pour **4 personnes**
Préparation **5 minutes**
Cuisson **10 minutes**

350 g de **penne**
2 c. à s. d'**huile d'olive** + un peu pour servir
1 **oignon** coupé en fines rondelles
1 gousse d'**ail** écrasée
500 g de **tomates cerises** coupées en deux
1 pincée de **sucre** (facultatif)
250 g de **jeunes pousses d'épinard** nettoyées
370 g de **thon à l'huile d'olive** en conserve, égoutté
sel et **poivre**

Faites cuire les pâtes en suivant les instructions du paquet.

Pendant ce temps, faites chauffer l'huile d'olive dans une casserole et faites-y revenir doucement l'oignon. Ajoutez l'ail et les tomates, et faites revenir encore 3 à 4 minutes, jusqu'à ce que les tomates commencent à se défaire. Assaisonnez la sauce avec du sel, du poivre et un peu de sucre si nécessaire.

Incorporez les épinards dans la sauce, puis le thon, en essayant de ne pas trop le défaire.

Égouttez les penne, versez-les dans le plat, ajoutez la sauce et mélangez. Arrosez d'un peu d'huile d'olive avant de servir.

Pour des penne aux moules et à la crème, faites cuire 350 g de penne. Pendant ce temps, faites chauffer un peu d'huile d'olive dans une sauteuse et ajoutez 1 gousse d'ail émincée, 150 ml de vin blanc et 1,5 kg de moules nettoyées. Couvrez et faites cuire jusqu'à ce que les moules soient ouvertes (jetez celles qui restent fermées). Passez les moules dans un tamis et réservez le liquide. Versez-le dans une casserole propre et ajoutez 200 ml de crème fraîche épaisse. Laissez mijoter jusqu'à l'obtention d'une consistance crémeuse. Égouttez les pâtes, sortez les moules de leur coquille et ajoutez-les dans la sauce, ainsi que les pâtes. Salez et poivrez.

linguine au jambon et aux œufs

Pour **2 personnes**
Préparation **5 minutes**
Cuisson **10 minutes**

150 g de **linguine**
2 **œufs**
75 g de **jambon** coupé en tranches fines
2 **ciboules** finement hachées

Sauce à la moutarde
3 c. à s. de **persil** haché
1 c. à s. de **moutarde à l'ancienne**
2 c. à c. de **jus de citron**
1 bonne pincée de **sucre semoule**
3 c. à s. d'**huile d'olive**
sel et **poivre**

Faites cuire les pâtes dans une casserole d'eau bouillante salée en suivant les instructions de l'emballage.

Placez les œufs dans une petite casserole et couvrez-les d'eau froide. Portez à ébullition, puis baissez le feu et laissez cuire 4 minutes. Enroulez les tranches de jambon et coupez-les le plus finement possible.

Préparez la sauce à la moutarde en mélangeant dans un bol le persil, la moutarde, le jus de citron, le sucre, l'huile d'olive, un peu de sel et de poivre.

Égouttez les œufs et passez-les sous l'eau froide, puis écalez-les dès qu'ils sont assez froids.

Ajoutez les ciboules dans la casserole de pâtes 30 secondes avant la fin de la cuisson. Égouttez et remettez le tout dans la casserole. Incorporez le jambon et la sauce à la moutarde, puis répartissez les pâtes dans des assiettes chaudes. Coupez les œufs en deux et complétez les assiettes.

Pour des linguine à la crème de citron, faites cuire les pâtes, en y ajoutant 400 g de pointes d'asperge parées 3 minutes avant la fin de la cuisson. Dans une casserole, faites chauffer à feu doux le zeste râpé de ½ citron, 300 ml de bouillon de poulet, 300 ml de crème fraîche. Ajoutez le jus de 1 citron, 75 g de parmesan râpé et laissez la sauce épaissir. Égouttez les pâtes et les asperges, incorporez la crème au citron et un peu de persil haché. Salez, poivrez puis servez.

nouilles de riz et poulet au citron

Pour **4 personnes**
Préparation **10 minutes**
Cuisson **10 minutes**

4 **blancs de poulet** avec la peau
le **jus** de 2 **citrons**
4 c. à s. de **sauce aux piments doux**
250 g de **nouilles de riz** sèches
1 petite botte de **persil plat** ciselée
1 petite botte de **coriandre** ciselée
½ **concombre** taillé en rubans à l'aide d'un épluche-légumes
sel et **poivre**
piment rouge finement haché pour décorer

Mélangez le poulet avec la moitié du jus de citron. Ajoutez la sauce aux piments doux, du sel et du poivre. Déposez 1 blanc de poulet entre 2 feuilles de film alimentaire et aplatissez-le légèrement avec un maillet. Répétez l'opération avec les autres blancs.

Disposez les blancs sur une grille, en une seule couche, et faites-les cuire sous le gril du four préchauffé, 4 à 5 minutes de chaque côté.

Pendant ce temps, versez les nouilles dans un plat résistant à la chaleur. Couvrez-les d'eau bouillante, laissez-les reposer 10 minutes, puis égouttez-les. Ajoutez-y le reste du jus de citron, les fines herbes et le concombre. Remuez. Salez et poivrez.

Déposez le poulet sur les nouilles, parsemez de piment haché et servez aussitôt.

Pour du brocoli au gingembre à servir en accompagnement, parez 500 g de brocoli. Détachez les bouquets puis émincez les tiges, en biais. Faites blanchir le tout à l'eau bouillante salée 30 secondes. Égouttez, rafraîchissez sous l'eau froide et égouttez de nouveau. Faites chauffer 2 cuillerées à soupe d'huile dans une grande poêle, ajoutez 1 gousse d'ail émincée et 2,5 cm de gingembre frais, pelé et haché. Faites revenir quelques secondes. Ajoutez le brocoli et faites revenir encore 2 minutes, à feu vif. Versez 1 cuillerée à café d'huile de sésame et poursuivez la cuisson 30 secondes.

fusillis speck-épinards-taleggio

Pour **4 personnes**
Préparation **5 minutes**
Cuisson **15 minutes**

375 g de **fusillis**
100 g de **speck** coupé en tranches
150 g de **taleggio** (fromage italien) coupé en petits dés
150 ml de **crème fraîche épaisse**
125 g de **jeunes pousses d'épinard** grossièrement hachées
sel et **poivre**
parmesan fraîchement râpé pour servir

Faites cuire les pâtes dans une grande casserole d'eau bouillante salée en suivant les instructions de l'emballage.

Pendant ce temps, coupez le speck en larges lanières.

Égouttez les pâtes, remettez-les dans la casserole et faites chauffer à feu doux. Ajouter le speck, le taleggio, la crème et les épinards, puis mélangez jusqu'à ce que la plus grande partie du fromage ait fondu. Poivrez généreusement puis servez sans attendre saupoudré de parmesan râpé.

Pour des fusillis à la mozzarella et au jambon, utilisez 150 g de mozzarella au lieu du taleggio et remplacez le speck par 100 g de jambon de la Forêt-Noire. La mozzarella apportera une saveur plus douce que le taleggio.

wok de nouilles chinoises

Pour **4 personnes**
Préparation **10 minutes**
Cuisson **10 minutes**

150 g de **petits pois** surgelés
175 g de **nouilles chinoises aux œufs**
2 c. à s. d'**huile végétale**
1 botte de **ciboules** coupées en tranches
300 g d'un mélange de **légumes** : **chou**, **mini-épis de maïs**, **fèves**, **poivrons**…
300 g de **tofu** coupé en cubes
150 ml de **sauce hoisin**
3 c. à s. de **jus d'orange**
sel et **poivre**

Faites cuire les petits pois dans une casserole d'eau bouillante salée 2 minutes. Égouttez bien. Faites cuire les nouilles en suivant les instructions de l'emballage.

Faites chauffer l'huile dans un wok ou dans une grande poêle. Ajoutez les ciboules et les légumes, et faites sauter 3 à 4 minutes, jusqu'à ce qu'ils soient tendres. Ajoutez le tofu, les petits pois, la sauce hoisin, le jus d'orange et laissez cuire 1 minute en remuant.

Égouttez les nouilles et versez-les dans le wok, mélangez bien le tout, salez et poivrez. Servez immédiatement.

Pour un wok à l'agneau et au brocoli, remplacez le tofu par 400 g d'agneau dégraissé coupé en petites lamelles de 2,5 cm x 5 mm et faites-les revenir 2 minutes. Détaillez 200 g de brocoli en fleurettes et faites-les blanchir 2 minutes. Égouttez-les et incorporez-les aux autres légumes. Mélangez avec la sauce hoisin et les nouilles comme ci-dessus, en supprimant le jus d'orange.

plats mijotés express

soupe 15 minutes

Pour **4 à 6 personnes**
Préparation **10 minutes**
Cuisson **15 minutes**

2 c. à s. d'**huile d'olive**
1 petit **oignon** finement haché
2 gousses d'**ail** finement hachées
2 tranches épaisses de **pain rassis** sans croûte et coupées en morceaux
2 **tomates** grossièrement coupées
1 litre de **bouillon de légumes**
200 g de **petits pois** surgelés
1 c. à c. de **paprika doux**
100 ml de **vin de xérès fino**
250 g de **crevettes** tigrées, décortiquées
1 **œuf dur** écalé et coupé finement
2 c. à s. de **persil** finement haché
sel et **poivre**

Faites chauffer l'huile d'olive dans une casserole et faites revenir l'oignon, l'ail, le pain 3 à 4 minutes à feu moyen, tout en remuant.

Incorporez les tomates, le bouillon, les petits pois, le paprika, le xérès et portez à ébullition. Réduisez le feu et laissez cuire à feu moyen 3 à 4 minutes, en remuant de temps en temps.

Ajoutez les crevettes et faites cuire 5 à 7 minutes en remuant, jusqu'à ce qu'elles changent de couleur. Retirez la casserole du feu, salez et poivrez.

Répartissez la soupe dans des bols, parsemez d'œuf et de persil, et servez immédiatement.

Pour de la soupe indienne au poulet et aux pois chiches, mettez dans une casserole 400 g de tomates concassées en conserve et 400 ml d'eau. Mélangez et faites chauffer à feu moyen. Coupez 4 blancs de poulet cuits en gros morceaux (ôtez la peau) et déchiquetez 150 g de chou de Savoie. Ajoutez aux tomates le poulet, le chou, 2 cuillerées à café de pâte de curry, 400 g de pois chiches en conserve, égouttés, et 1 cube de bouillon de légumes ou de poulet. Mélangez bien, couvrez et laissez cuire 6 minutes à feu vif jusqu'à ce que la soupe soit bien chaude et que le chou soit tendre. Servez avec des naans à l'ail.

soupe haricots verts-miso-nouilles

Pour **2 personnes**
Préparation **10 minutes**
Cuisson **10 minutes**

3 c. à s. de **miso** brun
1 litre de **bouillon de légumes**
25 g de **gingembre frais** râpé
2 gousses d'**ail** émincées
1 petit **piment rouge fort** épépiné et émincé
100 g de **nouilles soba** complètes ou ordinaires
1 botte de **ciboules** émincées
100 g de **petits pois** frais ou surgelés
250 g de **haricots verts** parés et coupés en tronçons
3 c. à s. de **mirin**
1 c. à s. de **sucre**
1 c. à s. de **vinaigre de riz**

Dans une casserole, délayez le miso dans un peu de bouillon de légumes de manière à obtenir une préparation épaisse et homogène. Allongez-la avec un peu de bouillon, puis versez le reste. Ajoutez le gingembre, l'ail, le piment, et portez au point de frémissement.

Baissez le feu au minimum avant d'incorporer les nouilles. Remuez pendant 5 minutes. Ajoutez les ciboules, les petits pois, les haricots verts, le mirin, le sucre et le vinaigre. Faites cuire 1 à 2 minutes à feu doux jusqu'à ce que les légumes soient légèrement tendres. Servez aussitôt la soupe dans des bols.

Pour une soupe de miso au tofu, préparez un bouillon dashi en faisant bouillir 15 g d'algues kombu dans 2 litres d'eau ; écumez la surface. Ajoutez 1 ½ cuillerée à soupe de flocons de bonite séché et laissez frémir 20 minutes à découvert. Incorporez hors du feu ½ cuillerée à soupe de flocons de bonite séché et laissez reposer 5 minutes. Filtrez, puis remettez dans la casserole. Délayez 2 cuillerées à soupe de miso rouge ou blanc dans un peu de bouillon dashi. Ajoutez le mélange dans le bouillon par cuillerées successives, en remuant pour le dissoudre. Détaillez 1 petit poireau en julienne et 125 g de tofu en dés avant de les incorporer dans la soupe chaude avec 1 cuillerée à soupe d'algues wakamé. Garnissez de ciboulette hachée.

champignons à la grecque

Pour **4 personnes**
Préparation **10 minutes**
+ repos
Cuisson **10 minutes**

8 c. à s. d'**huile d'olive**
2 gros **oignons** émincés
3 gousses d'**ail** finement hachées
600 g de **champignons de Paris** coupés en deux
8 **tomates** allongées (type roma) grossièrement hachées, ou 400 g de tomates concassées en conserve
100 g d'**olives noires** dénoyautées
2 c. à s. de **vinaigre de vin blanc**
sel et **poivre**
persil ciselé pour décorer

Faites chauffer 2 cuillerées à soupe d'huile d'olive dans une grande poêle. Faites-y dorer les oignons et l'ail. Ajoutez les champignons et les tomates puis poursuivez la cuisson 4 à 5 minutes, en remuant délicatement. Retirez la poêle du feu. Versez cette préparation aux champignons dans un plat de service et décorez d'olives noires.

Dans un bol, fouettez le reste de l'huile d'olive avec le vinaigre. Salez et poivrez selon votre goût puis versez cette vinaigrette sur les champignons. Parsemez de persil ciselé, couvrez et laissez reposer 30 minutes à température ambiante, avant de servir, pour que les parfums se mélangent.

Pour une salade de pâtes aux champignons, préparez les champignons comme indiqué ci-dessus. Faites cuire des pâtes (penne ou farfalle) dans une grande quantité d'eau bouillante salée, en suivant les instructions du paquet. Pendant ce temps, faites cuire 125 g de haricots verts dans une casserole d'eau bouillante salée, égouttez-les et passez-les sous l'eau froide puis égouttez-les de nouveau. Égouttez les pâtes et mélangez-les aux champignons et aux haricots verts. Ajoutez 2 cuillerées à soupe de feuilles de basilic déchiquetées. Servez à température ambiante.

riz frit épicé et salade d'épinards

Pour **3 à 4 personnes**
Préparation **10 minutes**
Cuisson **10 minutes**

4 **œufs**
2 c. à s. de **xérès**
2 c. à s. de **sauce soja** claire
1 botte de **ciboules**
4 c. à s. d'**huile pour friture**
75 g de **noix de cajou** non salées
1 **poivron vert** épépiné et finement haché
½ c. à c. de **5-épices**
250 g de **riz à longs grains** cuit
150 g d'**épinards**
100 g de **germes de soja** ou autres graines germées
sel et **poivre**
sauce aux piments doux pour servir

Battez les œufs avec le xérès et 1 cuillerée à soupe de sauce soja dans un petit saladier. Coupez le vert de 2 ciboules horizontalement, puis dans la longueur pour obtenir de fines lanières. Laissez-les tremper dans de l'eau glacée jusqu'à ce qu'elles s'enroulent. Réservez-les. Hachez finement les ciboules restantes, en séparant le blanc du vert.

Faites chauffer la moitié de l'huile dans un wok ou une grande poêle et faites revenir le vert des ciboules et les noix de cajou. Déposez-les sur une assiette. Faites sauter le blanc des ciboules 1 minute. Ajoutez les œufs battus et remuez pour obtenir des œufs brouillés.

Incorporez le poivron et le 5-épices avec le reste de l'huile, puis prolongez la cuisson de 1 minute. Ajoutez le riz et les épinards avec le reste de la sauce soja, en remuant jusqu'à ce que les épinards se flétrissent.

Remettez les noix de cajou et le vert des ciboules dans le wok avec les germes de soja, salez et poivrez. Dressez le tout sur des assiettes et décorez avec le vert des ciboules hachées avant de servir avec la sauce aux piments doux.

Pour du riz frit épicé aux mini-épis de maïs, remplacez les épinards par ½ petit chou chinois détaillé en lanières et 200 g de mini-épis de maïs émincés. Ajoutez-les dans le wok en même temps que le poivron.

pois chiches au chorizo

Pour **4 personnes**
Préparation **10 minutes**
Cuisson **10 minutes**

2 c. à s. d'**huile d'olive**
1 **oignon rouge** finement haché
2 gousses d'**ail** écrasées
200 g de **chorizo** coupé en dés de 1 cm
2 **tomates** mûres, épépinées et coupées en petits morceaux
3 c. à s. de **persil** haché
800 g de **pois chiches** en conserve, égouttés
sel et **poivre**

Faites chauffer l'huile d'olive dans une poêle antiadhésive et faites revenir l'oignon, l'ail, le chorizo 4 à 5 minutes à feu moyen, en remuant.

Incorporez les tomates, le persil et les pois chiches, et faites cuire 4 à 5 minutes en remuant.

Salez, poivrez et servez chaud ou à température ambiante. Accompagnez de pain croustillant.

Pour des pois chiches à l'harissa, halloumi et épinards, faites chauffer l'huile d'olive dans une grande casserole et faites revenir 2 oignons hachés et l'ail à feu doux jusqu'à ce qu'ils soient tendres (supprimez le chorizo). Remplacez les tomates fraîches et le persil par 2 cuillerées à soupe d'harissa et 800 g de tomates concassées en conserve. Ajoutez les pois chiches. Portez à ébullition, puis baissez le feu et laissez mijoter 5 minutes. Ajoutez 250 g de halloumi coupé en cubes et 200 g de jeunes pousses d'épinard et laissez mijoter encore 5 minutes. Salez, poivrez et versez le jus de 1 citron. Servez avec du parmesan râpé et du pain croustillant chaud.

riz à la tomate

Pour **4 personnes**
Préparation **5 minutes**
+ repos
Cuisson **15 minutes**

225 g de **riz basmati**
25 g de **beurre**
1 petit **oignon** coupé en deux puis émincé
1 gousse d'**ail** écrasée
1 c. à c. de **graines de cumin**
4 à 6 **grains de poivre noir**
1 **clou de girofle**
1 **bâton de cannelle**
50 g de **petits pois** surgelés
200 g de **tomates** coupées en morceaux
2 c. à s. de **purée de tomates**
475 ml d'**eau bouillante**
2 c. à s. de **coriandre** fraîche hachée
sel et **poivre**

Rincez le riz basmati, mettez-le dans un bol et couvrez-le d'eau froide. Laissez tremper 15 minutes puis égouttez.

Faites chauffer le beurre dans une grande casserole à fond épais et faites revenir l'oignon, l'ail, le cumin, le poivre, le clou de girofle et la cannelle 2 à 3 minutes. Ajoutez les petits pois, les tomates, la purée de tomates et le riz égoutté, et faites revenir encore 2 à 3 minutes.

Ajoutez l'eau bouillante et la coriandre, salez, poivrez et portez à ébullition. Couvrez bien, réduisez le feu au minimum et laissez mijoter 10 minutes sans soulever le couvercle. Retirez la casserole du feu et laissez reposer 8 à 10 minutes toujours à couvert. Servez.

Pour du riz façon paella rapide, faites tremper le riz comme ci-dessus. Faites revenir l'oignon et l'ail, supprimez le cumin, le clou de girofle et la cannelle. Ajoutez aux petits pois, aux tomates et au riz 1 poivron jaune épépiné et haché et 150 g de chorizo coupé en dés. Ne mettez pas la purée de tomates. Ajoutez l'eau bouillante, 1 cuillerée à café de safran et 1 cuillerée à café de paprika. Salez et poivrez, et faites cuire comme ci-dessus. Au milieu de la cuisson, ajoutez 200 g de crevettes surgelées cuites, puis recouvrez et laissez cuire 3 minutes, jusqu'à ce que les crevettes soient bien chaudes. Servez.

gnocchis épinards-gorgonzola

Pour **3 à 4 personnes**
Préparation **5 minutes**
Cuisson **10 minutes**

300 ml de **bouillon de légumes**
500 g de **gnocchis aux pommes de terre**
150 g de **gorgonzola** coupé en petits morceaux
3 c. à s. de **crème fraîche épaisse**
1 bonne pincée de **noix de muscade**
250 g de **jeunes pousses d'épinard**
poivre

Portez le bouillon à ébullition dans une grande casserole. Plongez-y les gnocchis et portez de nouveau à ébullition. Faites cuire 2 à 3 minutes jusqu'à ce que les gnocchis soient gonflés.

Ajoutez le fromage, la crème fraîche et la muscade. Laissez chauffer jusqu'à ce que le fromage fonde et forme une sauce veloutée.

Incorporez les jeunes pousses d'épinard et poursuivez la cuisson 1 à 2 minutes, en remuant. Dressez sur des assiettes et poivrez généreusement.

Pour des gnocchis sauge-parmesan, faites cuire les gnocchis dans le bouillon de légumes. Pendant ce temps, faites chauffer 100 g de beurre dans une poêle, ajoutez 2 gousses d'ail écrasées et faites revenir 1 minute. Ajoutez 16 feuilles de sauge et assez de beurre pour que les feuilles puissent devenir croustillantes. Égouttez les gnocchis, remettez-les dans la casserole et ajoutez le beurre à la sauge. Servez avec du parmesan râpé et accompagnez de mesclun.

curry de poulet thaï

Pour **4 personnes**
Préparation **5 minutes**
Cuisson **15 minutes**

1 c. à s. d'**huile de tournesol**
1 c. à s. de **pâte de curry verte thaïe** (voir ci-dessous une recette maison)
6 feuilles de **combava** coupées en morceaux
2 c. à s. de **nuoc-mâm**
1 c. à s. de **cassonade** blonde
200 ml de **bouillon de poulet**
400 ml de **lait de coco** en conserve
500 g de **chair de cuisses de poulet** émincée
125 g de **pousses de bambou** en conserve, égouttées
125 g de **mini-épis de maïs** en bocal
1 grande poignée de feuilles de **basilic thaï** ou de feuilles de **coriandre** fraîche + quelques-unes pour décorer
1 c. à s. de **jus de citron vert**
1 **piment rouge** coupé en lamelles, pour décorer

Faites chauffer l'huile dans un wok ou une grande poêle, ajoutez la pâte de curry et les feuilles de combava. Faites sauter à feu doux 1 à 2 minutes jusqu'à ce que les arômes se libèrent.

Ajoutez le nuoc-mâm, la cassonade, le bouillon de poulet et le lait de coco, puis portez à ébullition. Baissez le feu et laissez mijoter 5 minutes à feu doux.

Ajoutez le poulet et faites cuire 5 minutes. Ajoutez les pousses de bambou et les mini-épis de maïs et faites cuire encore 3 minutes.

Incorporez les feuilles de basilic ou de coriandre ainsi que le jus de citron vert, et décorez de feuilles de basilic ou de coriandre restantes et de lamelles de piment. Servez.

Pour une pâte de curry verte thaïe maison, mettez dans un robot 15 petits piments verts, 4 gousses d'ail coupées en deux, 2 tiges de citronnelle finement hachées, 2 feuilles de combava coupées en morceaux, 2 échalotes émincées, 2,5 cm de gingembre frais finement haché, 2 cuillerées à café de grains de poivre noir, 1 cuillerée à café de zeste de citron vert, ½ cuillerée à café de sel et 1 cuillerée à soupe d'huile d'arachide. Mixez jusqu'à obtenir une pâte épaisse. Versez dans un bocal et fermez le couvercle. Vous obtenez ainsi environ 150 ml de pâte, à conserver au réfrigérateur 3 semaines au maximum.

cocotte de poisson et fruits de mer

Pour **4 personnes**
Préparation **10 minutes**
Cuisson **15 minutes**

1 c. à c. d'**huile de sésame**
1 c. à s. d'**huile végétale**
3 **échalotes** hachées
3 gousses d'**ail** écrasées
1 **oignon** coupé en deux puis émincé
600 ml de **lait de coco**
3 c. à s. de **vinaigre de riz**
1 tige de **citronnelle**
4 **feuilles de combava**
3 à 6 **piments rouges** coupés en deux et épépinés
300 ml de **bouillon de poisson**
1 c. à s. de **sucre semoule**
2 **tomates** coupées en quartiers
2 c. à s. de **nuoc-mâm**
1 c. à c. de **purée de tomates**
175 g de **palourdes** vivantes nettoyées
375 g de **crevettes** tigrées décortiquées
125 g de **calamars** nettoyés et coupés en anneaux
400 g de **champignons de paille** en conserve égouttés
20 feuilles de **basilic sacré** (facultatif)

Faites chauffer les deux huiles dans une grande cocotte et faites revenir les échalotes et l'ail 2 minutes. Ajoutez l'oignon, le lait de coco, le vinaigre, la citronnelle, les feuilles de combava, les piments, le bouillon et le sucre. Portez à ébullition et laissez bouillir 2 minutes, puis baissez le feu et ajoutez les tomates, le nuoc-mâm, la purée de tomates et laissez cuire 5 minutes.

Ajoutez les palourdes (jetez celles qui ne se referment pas lorsqu'on tapote dessus), les crevettes, les calamars et les champignons. Laissez mijoter 5 à 6 minutes à feu doux ; jetez les palourdes qui restent fermées. Incorporez le basilic.

Servez sans attendre, accompagné de nouilles de riz.

Pour une cocotte du pêcheur, faites chauffer 1 cuillerée à soupe d'huile d'olive et faites revenir l'ail et les échalotes. Au moment d'ajouter l'oignon, remplacez le lait de coco, le vinaigre de riz, la citronnelle, les feuilles de combava, les piments, le bouillon et le sucre par 800 g de tomates concassées en conserve, 1 pincée de safran, 300 ml de vin blanc et 600 g de filets de poisson blanc coupés en bouchées. Poursuivez comme ci-dessus en ajoutant les tomates, le nuoc-mâm, la purée de tomates, les crevettes, les calamars et les champignons. Remplacez le basilic par du persil haché. Servez avec du pain croustillant et de la coriandre fraîche à la place des nouilles de riz.

curry de lotte et crevettes

Pour **4 personnes**
Préparation **10 minutes**
Cuisson **8 minutes**

3 c. à s. de **pâte de curry verte**
400 ml de **lait de coco**
1 tige de **citronnelle** (facultatif) coupée en 2 verticalement
2 **feuilles de combava** fraîches ou séchées (facultatif)
1 c. à s. de **cassonade**
300 g de **lotte** ou de **cabillaud** coupé en dés
50 g de **haricots verts** parés
12 **crevettes** tigrées décortiquées
2 à 3 c. à s. de **nuoc-mâm**
2 c. à s. de **jus de citron vert** frais

Pour garnir
quelques branches de **coriandre** fraîche
quelques **piments verts** émincés

Mettez la pâte de curry et le lait de coco dans une casserole. Broyez la tige de citronnelle à l'aide d'un rouleau à pâtisserie et ajoutez-la dans la casserole avec les feuilles de combava et la cassonade. Portez à ébullition, puis ajoutez le poisson. Laissez mijoter 2 minutes, puis incorporez les haricots verts et laissez cuire encore 2 minutes.

Ajoutez les crevettes, le nuoc-mâm et le jus de citron et laissez cuire 2 à 5 minutes jusqu'à ce que les crevettes changent de couleur.

Transférez le curry dans des assiettes chaudes et décorez avec des branches de coriandre et quelques tranches de piment. Servez avec du riz cuit à la vapeur.

Pour du curry malaisien à la lotte et aux crevettes, faites chauffer 2 cuillerées à soupe d'huile de tournesol dans une casserole et faites revenir 2 oignons finement hachés jusqu'à ce qu'ils soient tendres. Remplacez la pâte de curry par 2 cuillerées à soupe de pâte de citronnelle, 1 cuillerée à soupe de pâte d'ail, 1 piment rouge épépiné et coupé en dés, 4 cm de gingembre pelé et râpé, 1 cuillerée à café de curcuma, 1 bâton de cannelle et 2 anis étoilés. Ajoutez le tout aux oignons avec le lait de coco, les feuilles de combava, la cassonade et le sel. Poursuivez comme ci-dessus.

viandes & volailles

boulettes de porc épicées

Pour **12 boulettes**
Préparation **10 minutes**
+ réfrigération
Cuisson **6 à 8 minutes**

450 g de **porc** haché
3 c. à c. de **pâte de curry forte**
3 c. à s. de **chapelure**
1 petit **oignon** finement haché
2 c. à s. de **jus de citron vert**
2 c. à s. de **coriandre** hachée
1 **piment rouge** épépiné et haché
2 c. à c. de **cassonade**
huile de tournesol pour la friture
sel et **poivre**

Pour servir
150 ml de **yaourt nature**
3 c. à s. de **coriandre** fraîche hachée

Dans un saladier, mettez la viande, la pâte de curry, la chapelure, l'oignon, le jus de citron vert, la coriandre, le piment, la cassonade et mélangez bien le tout avec les mains. Salez, poivrez et placez au réfrigérateur pour 30 minutes.

Divisez le mélange en 12 portions et formez des boulettes légèrement aplaties.

Faites chauffer l'huile dans une grande poêle antiadhésive et faites frire les boulettes à feu moyen, 3 à 4 minutes de chaque côté. Retirez-les avec une écumoire et égouttez-les sur du papier absorbant. Mélangez le yaourt et la coriandre, et servez dans une petite assiette, à côté des boulettes, en accompagnant de riz et de salade verte.

Pour des boulettes d'agneau aux herbes, mettez dans un saladier 500 g d'agneau haché, 3 cuillerées à soupe de chapelure, 4 cuillerées à café de menthe séchée, 4 cuillerées à café d'origan séché, le zeste râpé de 1 citron et 1 gousse d'ail écrasée. Poursuivez comme ci-dessus, puis servez dans des pitas. Accompagnez de houmous et de salade à la grecque.

poulet à l'orange et à la menthe

Pour **4 personnes**
Préparation **5 minutes**
Cuisson **15 à 20 minutes**

4 **blancs de poulet** de 200 g chacun
3 c. à s. d'**huile d'olive**
150 ml de **jus d'orange** pressée
1 petite **orange** coupée en tranches
2 c. à s. de **menthe** hachée
1 c. à s. de **beurre**
sel et **poivre**

Salez et poivrez les blancs de poulet. Faites chauffer l'huile d'olive dans une grande poêle antiadhésive et faites dorer le poulet 4 à 5 minutes à feu moyen, en le retournant 1 fois.

Versez le jus d'orange, ajoutez les tranches d'orange et portez aux frémissements. Couvrez bien, baissez le feu au minimum et laissez cuire encore 8 à 10 minutes. Ajoutez la menthe et le beurre et remuez bien. Faites cuire à feu vif 2 minutes puis servez immédiatement.

Pour du poulet au romarin et au citron, broyez 4 tiges de romarin dans un mortier. Dans un plat non métallique, mettez le zeste râpé et le jus de 2 citrons, 3 gousses d'ail écrasées, 4 cuillerées à soupe d'huile d'olive et le romarin. Passez les blancs de poulet dans ce mélange pour bien les enrober. Couvrez et laissez mariner au réfrigérateur le temps nécessaire. Faites cuire 5 minutes de chaque côté sous le gril du four préchauffé.

agneau aux haricots blancs

Pour **2 personnes**
Préparation **10 minutes**
Cuisson **18 minutes**

2 c. à s. de **menthe** finement hachée
1 c. à s. de **thym** finement haché
1 c. à s. d'**origan** finement haché
½ c. à s. de **romarin** finement haché
4 c. à c. de **moutarde à l'ancienne**
4 **côtelettes d'agneau** de 125 g chacune

Haricots blancs cuisinés
2 c. à c. d'**huile végétale**
1 **oignon** haché
1 c. à s. de **purée de tomates**
50 ml de **jus d'ananas**
2 c. à s. de **jus de citron**
quelques gouttes de **Tabasco**
250 g de **haricots blancs** en conserve
poivre

Mélangez toutes les herbes dans un plat. Enduisez de moutarde chaque côté des côtelettes, puis déposez-les sur les herbes en appuyant bien pour les recouvrir uniformément.

Pour les haricots, faites chauffer l'huile dans une poêle et faites revenir l'oignon 5 minutes. Incorporez tous les autres ingrédients et faites cuire encore 5 minutes.

Enfoncez une pique en bois dans la tranche de chaque côtelette, placez-les sur une feuille de papier sulfurisé et faites-les cuire 4 minutes de chaque côté sous le gril préchauffé. Servez immédiatement avec les haricots et du mesclun.

Pour des côtelettes d'agneau au prosciutto, mélangez dans un plat non métallique 1 cuillerée à soupe de câpres égouttées et hachées, 1 gousse d'ail écrasée, ½ cuillerée à soupe de romarin haché, le zeste râpé de ½ citron et 1 cuillerée à soupe d'huile d'olive. Passez l'agneau dans ce mélange, couvrez et laissez mariner au réfrigérateur au moins 20 minutes. Pliez 4 tranches de prosciutto en deux et enroulez le bout de chaque côtelette. Faites chauffer 1 cuillerée à soupe d'huile végétale dans une poêle allant au four, faites dorer rapidement des 2 côtés, puis faites cuire 12 à 15 minutes au four préchauffé à 200 °C jusqu'à obtenir une cuisson à point. Retirez du four et laissez reposer. Servez avec des épinards cuits et une purée de pommes de terre à l'ail.

émincé de bœuf à la chicorée rouge

Pour **4 personnes**
Préparation **5 minutes**
Cuisson **5 minutes**

3 **steaks d'aloyau** de 300 g chacun
½ c. à s. d'**huile d'olive**
2 gousses d'**ail** finement hachées
150 g de **chicorée rouge** coupée en lamelles de 2,5 cm
sel

Dégraissez la viande et coupez-la en petites lamelles très fines.

Faites chauffer l'huile d'olive à feu vif dans une poêle à fond épais, ajoutez l'ail et les lamelles de bœuf, salez et faites revenir 2 minutes.

Incorporez la chicorée et faites cuire jusqu'à ce que les feuilles commencent à se flétrir. Servez immédiatement.

Pour une salade de couscous au bœuf et aux oignons caramélisés, enduisez 750 g de filets de bœuf avec 1 cuillerée à soupe d'huile d'olive, puis poivrez bien. Faites chauffer une poêle antiadhésive à feu moyen et faites cuire le bœuf 4 minutes de chaque côté. Retirez du feu et laissez reposer. Pour le couscous, faites chauffer 2 cuillerées à soupe d'huile d'olive dans une poêle à feu moyen, ajoutez 4 oignons hachés et faites revenir 8 à 10 minutes, en remuant de temps en temps. Mettez 375 g de couscous dans un saladier résistant à la chaleur et versez-y 600 ml de bouillon de poulet ou de bœuf chaud. Couvrez et laissez reposer 5 minutes jusqu'à l'absorption du bouillon, ou suivez les instructions de l'emballage. Aérez les grains avec une fourchette. Mélangez 2 cuillerées à soupe de moutarde de Dijon, un peu d'huile d'olive, le jus de 1 citron, du sel et du poivre, et incorporez cette sauce au couscous. Coupez le bœuf en lamelles et placez-le sur le couscous. Servez avec de la roquette à part.

calzone express

Pour **1 personne**
Préparation **5 minutes**
Cuisson **5 minutes**

2 petites **tortillas de blé**
2 c. à c. de **pâte de tomates séchées**
1 **tomate** coupée en tranches
2 tranches de **lard fumé** grillées et coupées en morceaux
4 tranches de **saucisson Milano** ou de **salami** coupées en lamelles
75 g de **mozzarella** coupée en tranches fines
quelques feuilles de **basilic**
4 à 6 **jeunes pousses d'épinard**
1 c. à s. d'**huile d'olive**
sel et **poivre**

Mouillez légèrement un côté des tortillas pour les ramollir, puis étalez la pâte de tomates séchées sur le côté humide et formez des couches avec les tranches de tomates, le lard, le saucisson et la mozzarella. Ajoutez le basilic et les épinards, salez et poivrez.

Pliez chaque tortilla en deux et pressez bien les bords (ce n'est pas grave si les bords ne collent pas). Enduisez d'huile les tortillas ainsi refermées et faites-les griller dans une poêle ou une poêle-gril 1 à 2 minutes de chaque côté. Coupez-les en deux et servez immédiatement.

Pour des calzone au jambon et au fromage, préparez les tortillas comme ci-dessus, remplacez la pâte de tomates séchées par 2 cuillerées à café de pesto. Disposez en couches 2 tranches de jambon coupées, 50 g de champignons émincés et 75 g de gruyère râpé. Salez et poivrez puis pliez les tortillas comme ci-dessus.

ailes de poulet « jerk »

Pour **4 personnes**
Préparation **5 minutes**
+ marinade
Cuisson **12 minutes**

12 grosses **ailes de poulet**
2 c. à s. d'**huile d'olive**
1 c. à s. d'**épices jerk** (assaisonnement jamaïcain à base de piment, de poivre de la Jamaïque, de thym, de cannelle, de gingembre, de clou de girofle, d'oignon et d'ail)
le **jus** de ½ **citron**
1 c. à c. de **sel**
persil plat ciselé pour décorer
quelques quartiers de **citron**

Mettez les ailes de poulet dans un plat en verre ou en céramique. Dans un bol, fouettez ensemble l'huile d'olive, les épices jerk, le jus de citron et le sel, puis versez ce mélange sur les ailes de poulet. Remuez soigneusement pour bien enduire la viande. Couvrez et laissez mariner au moins 30 minutes au réfrigérateur, si possible toute une nuit.

Disposez les ailes de poulet sur une grille et faites cuire sous le gril du four préchauffé, 6 minutes de chaque côté, en arrosant à mi-cuisson avec le reste de la marinade. Adaptez la température du four en fonction de la cuisson souhaitée. Quand le poulet est cuit et bien doré, parsemez de persil ciselé et servez aussitôt avec quelques quartiers de citron.

Pour des brochettes d'agneau « jerk », faites mariner 750 g d'agneau coupé en morceaux dans le mélange ci-dessus, si possible toute une nuit. Enfilez les morceaux de viande sur 8 brochettes en métal et faites cuire sous le gril du four préchauffé ou au barbecue, 6 à 8 minutes de chaque côté selon que vous aimez l'agneau plus ou moins rosé.

polenta jambon de Parme-fromage

Pour **4 personnes**
Préparation **10 minutes**
Cuisson **15 minutes**

900 ml d'**eau**
225 g de **polenta** instantanée
250 g de **pointes d'asperge** parées
6 tranches de **jambon de Parme**
100 g de **fontina** coupé en tranches
2 c. à s. de **parmesan** râpé
sel et poivre
feuilles de **basilic** pour décorer (facultatif)

Dans une casserole à fond épais, portez l'eau à ébullition. Mettez la polenta dans un récipient muni d'un bec verseur et versez-la dans l'eau doucement, tout en touillant avec une cuillère en bois afin d'éviter la formation de grumeaux. Baissez le feu et laissez mijoter 5 minutes, toujours en remuant, jusqu'à ce que la polenta se détache des parois de la casserole. Salez et poivrez.

Versez la polenta dans un plat à four beurré de 25 x 18 cm. Faites blanchir les asperges dans une casserole d'eau bouillante 1 à 2 minutes puis égouttez-les. Recouvrez la polenta d'une couche de jambon, puis d'asperges et enfin de fontina et de parmesan.

Passez sous le gril du four préchauffé à puissance maximale jusqu'à obtenir une croûte dorée et croustillante. Disposez quelques feuilles de basilic par-dessus, coupez en carrés et servez immédiatement.

Pour de la polenta à la viande et aux champignons, faites cuire la polenta et mettez-la dans un plat comme ci-dessus. Faites chauffer 2 cuillerées à soupe d'huile d'olive dans une poêle, ajoutez 300 g de chair à saucisse et faites frire jusqu'à ce qu'elle brunisse. Ajoutez 50 g de cèpes séchés, 150 g de champignons de Paris émincés, 2 gousses d'ail finement hachées et 2 tiges de romarin finement hachées. Étalez ce mélange sur la polenta, coupez-la en carrés et servez immédiatement.

côtelettes d'agneau à la sauce mojo

Pour **4 personnes**
Préparation **10 minutes**
Cuisson **10 minutes**

8 petites **côtelettes d'agneau**
1 gousse d'**ail** écrasée
1 c. à s. de **thym** haché
3 c. à s. d'**huile d'olive**
500 g de **pommes de terre nouvelles** grattées et coupées en tranches épaisses
sel et **poivre**

Sauce mojo
2 **piments rouges** épépinés et hachés
4 gousses d'**ail** grossièrement hachées
2 c. à c. de **graines de cumin**
1 petite poignée de **coriandre** fraîche
4 c. à s. d'**huile d'olive**
1 c. à s. de **vinaigre de xérès**

Dégraissez les côtelettes d'agneau. Dans un saladier, mélangez l'ail, le thym, l'huile d'olive et un peu de sel, puis saupoudrez la viande de ce mélange.

Pour la sauce, mixez dans un robot les piments, l'ail, le cumin, la coriandre et l'huile d'olive jusqu'à obtenir une pâte. Incorporez le vinaigre puis salez.

Faites cuire les pommes de terre nouvelles dans une casserole d'eau bouillante salée 10 minutes.

Pendant ce temps, faites chauffer une poêle-gril ou une poêle à fond épais et faites-y cuire les côtelettes 4 minutes de chaque côté, jusqu'à ce qu'elles soient rosées à l'intérieur. Faites cuire plus longtemps pour une cuisson à point.

Égouttez les pommes de terre et remettez-les dans la casserole. Ajoutez la moitié de la sauce, mélangez bien, puis mettez la sauce restante dans un ramequin.

Répartissez les pommes de terre dans 4 assiettes chaudes. Déposez les côtelettes par-dessus et servez avec la sauce restante à part.

Pour de l'agneau à la sauce verte, préparez et faites cuire l'agneau comme ci-dessus. Dans un robot, mixez 1 poignée de cresson, le jus de ½ citron et 100 g de beurre fondu jusqu'à obtenir une sauce lisse. Nappez la viande de sauce et servez immédiatement.

curry thaï rouge de porc aux haricots

Pour **4 personnes**
Préparation **10 minutes**
Cuisson **5 minutes**

2 c. à s. d'**huile d'arachide**
1 ½ c. à s. de **pâte de curry rouge**
375 g de **porc maigre** coupé en lamelles
100 g de **haricots verts** parés et coupés en deux
2 c. à s. de **nuoc-mâm**
1 c. à c. de **sucre semoule**
ciboulette chinoise ou **classique** pour décorer

Faites chauffer l'huile dans un wok ou dans une grande poêle à feu moyen jusqu'à ce qu'elle commence à frémir. Ajoutez la pâte de curry et faites revenir, tout en remuant, jusqu'à ce qu'elle embaume.

Ajoutez le porc et les haricots verts, et faites revenir 2 à 3 minutes jusqu'à ce que la viande soit cuite à l'intérieur et que les haricots soient tendres.

Incorporez le nuoc-mâm, le sucre puis servez garni de 1 poignée de ciboulette.

Pour du curry vert de poulet et pois gourmands, remplacez la pâte de curry rouge par 1 ½ cuillerée à soupe de pâte de curry verte (voir page 94), le porc par 375 g de blancs de poulet coupés en lamelles et les haricots verts par 100 g de pois gourmands émincés. Faites cuire comme ci-dessus et ajoutez un trait de jus de citron avant de servir.

canard à la sauce au miel

Pour **4 personnes**
Préparation **10 minutes**
Cuisson **10 minutes**

4 **magrets de canard** de 200 g chacun
3 c. à s. de **miel** clair
150 ml de **vin blanc**
le **zeste** râpé de 1 **citron vert**
75 ml de **jus de citron vert**
100 ml de **bouillon de poulet**
1 c. à s. de **gingembre** pelé et finement haché
½ c. à c. d'**arrow-root** (facultatif)
1 c. à s. d'**eau**
sel et **poivre**

Pratiquez 4 entailles sur la peau des magrets, salez et poivrez. Faites chauffer une poêle à fond épais et faites cuire les magrets 3 minutes côté peau. Retirez la graisse de la poêle.

Disposez le canard dans un plat à four, côté peau vers le bas, et enduisez-le avec 1 cuillerée à soupe de miel. Faites rôtir 5 minutes au four préchauffé à 200 °C. Sortez du four et laissez reposer 3 minutes, puis coupez en tranches en biais.

Portez à ébullition dans la poêle le vin, le jus de citron vert, le bouillon, le gingembre et le miel restant, puis laissez cuire 5 minutes. Délayez l'arrow-root dans l'eau et incorporez-le à la sauce. Ramenez à ébullition, tout en remuant, et laissez épaissir. Servez le canard avec la sauce et des carottes, des pois gourmands et des asperges cuits à la vapeur.

Pour du canard à l'orange, préparez et faites cuire les magrets dans la poêle comme ci-dessus. Transférez-les dans un plat à four, ne mettez pas de miel et faites cuire comme ci-dessus. Pelez 2 oranges et coupez-les en rondelles. Dans la poêle, ajoutez 100 ml de jus d'orange, 1 cuillerée à soupe de vinaigre balsamique, 1 cuillerée à soupe de sucre semoule et 1 cuillerée à soupe de Maïzena délayée dans un peu d'eau. Portez à ébullition et laissez épaissir, puis versez 2 cuillerées à soupe de Grand Marnier. Disposez dans des assiettes et servez avec quelques rondelles d'orange.

red hot hamburgers

Pour **4 personnes**
Préparation **10 minutes**
Cuisson **8 à 16 minutes**

600 g de **bœuf haché**
2 gousses d'**ail** écrasées
1 **oignon rouge** finement haché
1 **piment rouge** épépiné et haché
1 botte de **persil** haché
1 c. à s. de **sauce Worcestershire**
1 **œuf** battu
4 petits **pains à hamburger** coupés en deux
roquette ou **mizuna**
1 **tomate cœur-de-bœuf** coupée en tranches
sel et **poivre**

Dans un saladier, mélangez la viande hachée, l'ail, l'oignon, le piment, le persil, la sauce Worcestershire, l'œuf, un peu de sel et de poivre.

Faites chauffer une poêle-gril. Divisez le mélange à base de viande en 4 portions, formez des galettes et faites-les cuire 3 minutes de chaque côté pour un steak saignant, 5 minutes de chaque côté pour une cuisson à point, ou 7 minutes de chaque côté pour une viande bien cuite. Retirez du feu, couvrez avec une feuille de papier sulfurisé pour garder au chaud et laissez reposer pendant que vous faites griller les petits pains.

Lavez et séchez la poêle, faites-la chauffer et faites brièvement griller les pains sur le côté coupé. Garnissez chaque petit pain avec quelques feuilles de salade, des tranches de tomate et 1 galette de viande. Servez immédiatement avec la sauce de votre choix.

Pour des hamburgers aromatisés, remplacez le persil et la sauce Worcestershire par 1 cuillerée à soupe de coriandre moulue, 1 cuillerée à soupe de cumin moulu et 1 bonne cuillerée à café de moutarde de Dijon.

poulet stroganoff au xérès

Pour **4 personnes**
Préparation **10 minutes**
Cuisson **10 minutes**

25 g de **beurre**
2 c. à s. d'**huile de tournesol**
4 **blancs de poulet** émincés
2 **oignons** émincés
1 c. à c. de **paprika**
2 c. à c. de **moutarde douce**
6 c. à s. de **xérès** sec ou demi-sec
6 c. à s. d'**eau**
6 c. à s. de **crème fraîche**
sel et **poivre**

Faites chauffer le beurre et l'huile dans une grande poêle et faites revenir le poulet et les oignons 6 à 7 minutes à feu moyen. Ils doivent être bien colorés.

Incorporez le paprika, la moutarde, le xérès et l'eau. Salez, poivrez et laissez chauffer 2 à 3 minutes avant d'ajouter la crème fraîche. Dressez sur des assiettes et servez avec du riz et des haricots verts.

Pour du poulet stroganoff au fenouil, faites dorer les blancs de poulet émincés dans le beurre et l'huile comme ci-dessus, en remplaçant l'un des oignons par 1 petit bulbe de fenouil émincé. Lorsqu'il est doré, ajoutez la moutarde, mais pas le paprika. Remplacez le xérès par 6 cuillerées à soupe de pastis. Faites-le flamber, puis versez l'eau comme ci-dessus. Laissez chauffer 2 à 3 minutes avant d'ajouter 6 cuillerées à soupe de crème fraîche. Servez sans attendre.

poulet lardé de jambon de Parme

Pour **4 personnes**
Préparation **10 minutes**
Cuisson **10 minutes**

4 **blancs de poulet** de 150 g chacun
4 tranches de **jambon de Parme**
4 feuilles de **sauge**
farine pour saupoudrer
25 g de **beurre**
2 c. à s. d'**huile d'olive**
4 grappes de **tomates cerises**
150 ml de **vin blanc** sec
sel et **poivre**

Disposez les blancs de poulet entre 2 feuilles de film alimentaire et aplatissez-les à l'aide d'un rouleau à pâtisserie ou d'un maillet à viande. Salez et poivrez.

Déposez 1 tranche de jambon sur chaque blanc de poulet, puis 1 feuille de sauge. Fixez avec une pique en bois, puis saupoudrez de farine les deux faces du poulet. Salez et poivrez de nouveau.

Faites chauffer le beurre et l'huile d'olive à feu vif dans une grande poêle et faites cuire les blancs de poulet 4 à 5 minutes de chaque côté. Ajoutez les tomates et le vin et laissez bouillir jusqu'à ce que le vin épaississe. Servez immédiatement avec de la salade verte.

Pour des escalopes de veau au romarin et à la pancetta, aplatissez 4 escalopes de veau de 150 g chacune comme ci-dessus. Mettez sur chaque escalope 1 poignée de romarin, puis enroulez-la dans 1 tranche de pancetta, à la place du jambon de Parme. Supprimez la sauge. Saupoudrez de farine, salez, poivrez et faites cuire comme ci-dessus.

agneau grillé et salade de feta

Pour **4 personnes**
Préparation **8 minutes**
Cuisson **6 à 8 minutes**

500 g d'**épaule** ou de **gigot d'agneau** coupé en dés

Marinade
2 c. à s. d'**origan**
1 c. à s. de **romarin** haché
le **zeste** râpé de 1 **citron**
2 c. à s. d'**huile d'olive**
sel et **poivre**

Salade de feta
200 g de **feta** émiettée
1 c. à s. d'**origan** haché
2 c. à s. de **persil** haché
le **zeste** râpé et le **jus** de 1 **citron**
½ petit **oignon rouge** émincé
3 c. à s. d'**huile d'olive**

Préparez la marinade en mélangeant tous les ingrédients, ajoutez les dés d'agneau et mélangez pour bien napper la viande. Enfilez la viande sur 4 brochettes.

Disposez la feta sur un grand plat de service et parsemez d'aromates, de zeste de citron et de lamelles d'oignon. Arrosez de jus de citron et d'huile d'olive. Salez et poivrez.

Faites cuire les brochettes d'agneau sous le gril du four préchauffé ou dans une poêle-gril 6 à 8 minutes en les retournant régulièrement. Lorsqu'elles sont bien grillées, retirez-les et laissez-les reposer 1 à 2 minutes.

Arrosez les brochettes d'agneau du jus de cuisson et servez-les accompagnées d'une salade et d'une baguette bien croustillante.

Pour des brochettes de porc au chou rouge, remplacez l'agneau par 500 g de porc maigre coupé en dés. Faites mariner le porc, puis faites-le cuire comme ci-dessus. Remplacez la feta par 250 g de chou rouge finement haché. Supprimez l'origan et remplacez le citron par 1 orange. Préparez la salade et laissez-la reposer 5 minutes avant de servir.

foies de poulet au marsala

Pour **4 personnes**
Préparation **10 minutes**
Cuisson **10 minutes**

400 g de **foies de poulet**
25 g de **beurre**
2 c. à s. d'**huile d'olive**
25 g de **raisins secs**
6 c. à s. de **marsala**
1 trait de **jus de citron**
sel et **poivre**
1 bonne poignée de **ciboulette** hachée pour décorer

Rincez les foies et séchez-les avec du papier absorbant. Coupez chaque foie en quatre et ôtez toutes les parties blanches. Salez et poivrez.

Faites chauffer le beurre et l'huile d'olive dans une poêle. Faites cuire les foies 5 minutes en les retournant pour qu'ils brunissent de façon homogène. Si vous les préférez bien cuits, laissez-les cuire 2 minutes de plus. Ajoutez les raisins et faites cuire encore 1 minute. Retirez les foies de la poêle à l'aide d'une écumoire et gardez-les au chaud.

Versez le marsala dans la poêle et portez à ébullition. Faites cuire environ 2 minutes jusqu'à ce qu'il devienne sirupeux, puis incorporez le jus de citron. Versez la sauce sur les foies, ajoutez 1 poignée de ciboulette puis servez.

Pour des foies de poulet rustiques, faites chauffer le beurre dans une poêle, ajoutez 1 oignon émincé et 150 g de lard haché. Faites frire 5 à 6 minutes jusqu'à ce que le lard soit croustillant et l'oignon tendre. Ajoutez les foies préparés et faites cuire comme ci-dessus, ne mettez pas de raisins. Retirez les foies à l'aide d'une écumoire et gardez-les au chaud. Ajoutez 25 g de farine dans la poêle puis 6 cuillerées à soupe de vin rouge et laissez épaissir. Versez-la sur les foies avec le lard et l'oignon puis servez.

bœuf à l'indonésienne

Pour **4 personnes**
Préparation **5 minutes**
Cuisson **8 minutes**

1 **oignon** grossièrement haché
2 gousses d'**ail** pelées
2,5 cm de **gingembre frais** pelé et émincé
1 **piment rouge** épépiné
2 c. à s. de **crevettes séchées**
3 c. à s. d'**huile d'arachide**
500 g de **bœuf maigre** coupé en lamelles
1 c. à s. de **pâte de tamarin**
2 c. à s. de **sauce soja** foncée
4 c. à s. d'**eau**
1 c. à c. de **sucre demerara**
1 petite poignée de feuilles de **menthe** hachées + quelques feuilles entières pour décorer
sel et **poivre**
1 c. à s. de **ciboulette** ciselée pour décorer

Dans un robot, mixez l'oignon, l'ail, le gingembre, le piment et les crevettes jusqu'à former une pâte onctueuse.

Faites chauffer l'huile à feu moyen dans un wok ou une grande poêle, ajoutez la pâte précédente et faites cuire, sans cesser de remuer, 2 minutes jusqu'à ce que l'huile se sépare des autres ingrédients.

Ajoutez le bœuf et faites revenir jusqu'à ce que la viande brunisse, puis ajoutez la pâte de tamarin, la sauce soja et l'eau. Laissez mijoter 2 à 3 minutes sans couvrir, jusqu'à ce que presque tout le liquide se soit évaporé et que la viande soit tendre.

Incorporez le sucre et les feuilles de menthe hachées, salez, poivrez et décorez avec un peu de ciboulette et quelques feuilles de menthe. Servez immédiatement accompagné de légumes variés et de riz blanc, si vous le souhaitez.

Pour du porc aux poivrons jaunes et aux champignons, remplacez le bœuf par 500 g de porc maigre coupé en lamelles, ajoutez 1 poivron jaune épépiné et coupé en lamelles et 75 g de champignons coupés en deux. Continuez comme ci-dessus, en ajoutant les légumes au porc dans le wok.

poulet grillé et salsa tomate-concombre

Pour **4 personnes**
Préparation **10 minutes**
Cuisson **6 minutes**

4 **blancs de poulet**
3 c. à s. d'**huile d'olive**
sel et **poivre**

Salsa tomate-concombre
1 **oignon rouge** finement haché
2 **tomates** épépinées et coupées en dés
1 **concombre** coupé en petits dés
1 **piment rouge** finement haché
1 petite poignée de **coriandre** ciselée
le **jus** de 1 **citron vert**

À l'aide des ciseaux de cuisine, coupez chaque blanc de poulet en deux dans la longueur sans aller jusqu'au bout. Posez chaque blanc ainsi découpé bien à plat, badigeonnez d'huile d'olive et saupoudrez de sel et de poivre.

Faites chauffer une poêle-gril. Faites-y cuire les blancs de poulet, 3 minutes de chaque côté, jusqu'à ce que l'on voie les marques du gril.

Pendant ce temps, préparez la salsa en mélangeant l'oignon, les tomates, le concombre, le piment, la coriandre et le jus de citron vert. Salez et poivrez. Servez le poulet bien chaud, accompagné de salsa tomate-concombre.

Pour du thon grillé et salsa à l'ananas, préparez et faites cuire 4 épaisses darnes de thon de 175 g chacune, comme le poulet ci-dessus. Pendant ce temps, mélangez dans un saladier 6 cuillerées à soupe d'ananas en conserve, égoutté et coupé en gros dés, 1 oignon rouge finement haché, 1 cuillerée à soupe de gingembre frais, haché, 1 piment rouge finement haché, le jus et le zeste râpé de 1 citron vert, 2 cuillerées à café de miel liquide, du sel et du poivre. Servez cette salsa avec le thon grillé.

bœuf à la diable

Pour **4 personnes**
Préparation **10 minutes**
Cuisson **10 minutes**

2 c. à s. d'**huile d'olive**
4 tranches de **filet de bœuf** de 175 g chacune
2 c. à s. de **vinaigre balsamique**
75 ml de **vin rouge** corsé
4 c. à s. de **bouillon de bœuf**
2 gousses d'**ail** hachées
1 c. à c. de **graines de fenouil** pilées
1 c. à s. de **concentré de tomate**
½ c. à c. de **flocons de piment séché**
sel et **poivre**
persil plat ciselé pour décorer

Faites chauffer l'huile d'olive dans une poêle antiadhésive, jusqu'à ce qu'elle commence à fumer. Faites-y revenir la viande à feu très vif, 2 minutes de chaque côté (pour une cuisson entre saignant et à point). Placez la viande sur une assiette, salez et poivrez, et maintenez au chaud dans un four doux.

Versez le vinaigre, le vin et le bouillon dans la poêle. Faites bouillir 30 secondes, en grattant les sucs de viande dans le fond de la poêle. Ajoutez l'ail et les graines de fenouil. Avec un fouet, incorporez le concentré de tomate et le piment séché. Faites bouillir la sauce jusqu'à ce qu'elle soit sirupeuse.

Posez les tranches de bœuf sur des assiettes chaudes. S'il y a du jus de viande, ajoutez-le à la sauce. Faites bouillir la sauce de nouveau, salez et poivrez.

Coupez la viande en tranches avant de servir. Versez dessus la sauce, parsemez de persil puis servez aussitôt.

Pour des blancs de poulet à la diable, faites cuire 4 blancs de poulet dans la poêle, 5 minutes de chaque côté. Laissez le poulet dans la poêle puis suivez la recette ci-dessus, en remplaçant le bouillon de bœuf par 4 cuillerées à soupe de bouillon de poulet et les graines de fenouil par ½ cuillerée à café d'origan séché.

poissons & fruits de mer

lotte à la galicienne

Pour **4 personnes**
Préparation **10 minutes**
Cuisson **10 minutes**

15 **amandes** entières blanchies
800 g de **filets de lotte**
1 **oignon** émincé
un filet d'**huile d'olive**
3 gousses d'**ail** écrasées
1 bonne pincée de filaments de **safran**
1 c. à s. de **persil** finement haché
250 g de **petits pois** frais ou surgelés
sel et **poivre**

Faites griller les amandes à sec dans une poêle quelques minutes à feu moyen.

Coupez la lotte en 8 morceaux égaux. Parsemez d'oignon le fond d'une casserole et disposez la lotte par-dessus. Salez, poivrez et versez un filet d'huile d'olive. Couvrez bien et laissez cuire 5 à 6 minutes à feu moyen.

Hachez finement les amandes, l'ail, le safran et le persil dans un robot. Ajoutez 2 à 3 cuillerées à soupe d'eau et mixez encore afin d'obtenir une pâte grossière.

Retirez le couvercle et versez la pâte obtenue ainsi que les petits pois sur le poisson. Couvrez et laissez cuire 4 à 5 minutes jusqu'à ce que le poisson soit cuit à cœur. Servez immédiatement.

Pour de la lotte lardée de jambon de Parme, préparez le poisson comme ci-dessus, enroulez chaque morceau dans une tranche de jambon de Parme et poivrez. Faites chauffer 1 cuillerée à soupe d'huile d'olive dans une poêle et faites cuire la lotte 2 à 3 minutes de chaque côté. Placez le poisson dans un plat à four et faites cuire 8 minutes à 220 °C. Retirez du four et laissez reposer 5 minutes. Faites chauffer 1 cuillerée à soupe d'huile d'olive dans la même poêle et faites revenir 1 oignon haché et 2 gousses d'ail écrasées. Ajoutez 500 g de tomates cerises, 1 poignée de basilic haché et mélangez bien. Servez la lotte avec les tomates sur un lit d'épinards.

calamars au citron vert et au coco

Pour **2 personnes**
Préparation **15 minutes**
Cuisson **5 minutes**

10 à 12 petits **calamars** nettoyés (375 g environ avec les tentacules)
4 **citrons verts** coupés en deux

Sauce
2 **piments rouges** épépinés et finement hachés
le **zeste** râpé de 2 **citrons verts**
2,5 cm de **gingembre frais** pelé et râpé
100 g de **noix de coco** râpée
4 c. à s. d'**huile d'arachide**
1 à 2 c. à s. d'**huile pimentée**
1 c. à s. de **vinaigre de vin blanc**

Coupez le côté de chaque calamar et mettez-les à plat sur une planche à découper. À l'aide d'un couteau bien aiguisé, incisez l'intérieur de la chair en croisillons.

Mélangez tous les ingrédients de la sauce dans un bol. Mélangez la moitié de la sauce avec les calamars.

Faites chauffer une poêle-gril et faites griller les citrons verts 2 minutes côté pulpe. Retirez-les de la poêle et réservez-les. Faites griller les calamars 1 minute. Retournez-les et faites-les cuire jusqu'à ce qu'ils blanchissent.

Transférez les calamars sur une planche à découper et coupez-les en lamelles. Enduisez-les de la sauce restante et servez immédiatement avec les citrons grillés et du mesclun.

Pour des calamars au citron et à l'ail, ôtez les tentacules des calamars et coupez-les en anneaux. Placez-les dans un plat non métallique avec le jus de 1 citron et laissez mariner 5 minutes. Dans une grande poêle, faites chauffer 75 ml d'huile d'olive et ajoutez 3 gousses d'ail hachées et le zeste râpé de 1 citron. Dès que l'huile est bien chaude, faites cuire les calamars 1 à 2 minutes à feu vif jusqu'à ce qu'ils blanchissent. Salez, poivrez et servez en ajoutant 1 poignée de persil haché et des quartiers de citron.

saumon sucré-épicé

Pour **4 personnes**
Préparation **5 minutes**
Cuisson **10 minutes**

4 **filets de saumon** de 200 g chacun
3 c. à s. de **sucre muscovado**
2 gousses d'**ail** écrasées
1 c. à c. de **graines de cumin** écrasées
1 c. à c. de **paprika**
1 c. à s. de **vinaigre de vin blanc**
3 c. à s. d'**huile d'arachide**
sel et **poivre**
½ c. à c. de **graines de cumin** écrasées
2 **courgettes** coupées en rubans fins
tranches de **citron** ou **citron vert** pour servir

Disposez les filets de saumon dans un plat à four légèrement huilé. Dans un bol, mélangez le sucre, l'ail, le cumin, le paprika, le vinaigre et un peu de sel, puis répartissez ce mélange sur le poisson et versez 1 cuillerée à soupe d'huile.

Faites cuire 10 minutes au four préchauffé à 220 °C, jusqu'à ce que le saumon soit cuit à cœur.

Dans une grande poêle, faites chauffer l'huile restante, ajoutez le cumin et faites-le frire 10 secondes. Ajoutez les courgettes, salez, poivrez et faites revenir 2 à 3 minutes, jusqu'à ce qu'elles soient tendres.

Formez un lit de courgettes sur des assiettes et déposez dessus les filets de saumon. Garnissez de quartiers de citron.

Pour du saumon croustillant au pesto, disposez les filets de saumon dans un plat à four légèrement huilé, salez, poivrez et ajoutez un trait de jus de citron. Dans un bol, mélangez 4 cuillerées à soupe de pesto et 2 poignées de chapelure, puis versez le tout sur le saumon. Râpez du parmesan par-dessus et versez un filet d'huile d'olive. Faites cuire au four comme ci-dessus et servez accompagné de haricots verts et de pommes de terre nouvelles.

raie au beurre balsamique

Pour **2 personnes**
Préparation **5 minutes**
Cuisson **15 minutes**

2 c. à c. de **farine**
2 **ailes de raie** de 200 g chacune
50 g de **beurre**
3 c. à s. de **vinaigre balsamique**
1 c. à s. de **câpres** égouttées
sel et **poivre**

Mélangez la farine avec un peu de sel et de poivre et saupoudrez-en les ailes de raie.

Dans une grande poêle, faites chauffer une noix de beurre et faites cuire les ailes de raie à feu doux, 5 minutes de chaque côté. Retirez-les de la poêle et réservez au chaud dans des assiettes de service.

Ajoutez dans la poêle le reste du beurre, le vinaigre balsamique et les câpres. Laissez cuire à feu moyen, tout en remuant, jusqu'à ce que le beurre bouillonne. Salez et poivrez puis versez sur la raie. Servez immédiatement avec des pommes de terres nouvelles cuites à l'eau mélangées à du persil et une salade à part.

Pour des ailes de raie à la sauce au citron et à la coriandre, préparez d'abord la sauce. Cassez 1 œuf dans un robot, ajoutez ½ cuillerée à café de sel marin, 1 gousse d'ail pelée et ½ cuillerée à café de moutarde en poudre, mixez et versez 175 ml d'huile d'olive à travers le goulot. Dès que la sauce devient épaisse, ajoutez 1 petite cuillerée à soupe de jus de citron vert, 1 cuillerée à soupe de câpres, 4 cornichons, 1 cuillerée à soupe de coriandre hachée et un peu de poivre. Mixez jusqu'à ce que tous les ingrédients soient bien hachés. Faites cuire la raie avec une noix de beurre comme ci-dessus puis servez avec la sauce.

paloudes aux tomates

Pour **4 personnes**
Préparation **10 minutes**
Cuisson **10 minutes**

2 c. à s. d'**huile d'olive**
3 gousses d'**ail** finement hachées
2 **tomates** mûres finement hachées
1 kg de **palourdes** vivantes nettoyées
125 ml de **manzana**
4 c. à s. de **persil** finement haché
sel et **poivre**

Faites chauffer l'huile d'olive dans une grande poêle et faites revenir l'ail et les tomates 3 à 4 minutes à feu moyen, tout en remuant.

Jetez toutes les palourdes qui ne se ferment pas lorsque vous tapotez dessus, versez les autres dans la poêle avec la manzana et le persil. Salez et poivrez, puis couvrez bien et laissez cuire 4 à 5 minutes à feu vif, en secouant vigoureusement plusieurs fois. Jetez toutes les palourdes qui restent fermées.

Servez les palourdes chaudes avec leur jus de cuisson, ou laissez refroidir à température ambiante.

Pour des linguine alle vongole, préparez les palourdes comme ci-dessus. Dans une grande casserole d'eau bouillante salée, faites cuire 400 g de linguine en suivant les instructions de l'emballage. Dans une grande casserole, faites chauffer 1 cuillerée à soupe d'huile d'olive et faites cuire 1 gousse d'ail hachée et 1 piment séché émietté. Ajoutez les palourdes et augmentez le feu, puis versez 100 ml de vermouth et couvrez. Faites cuire comme ci-dessus puis jetez toutes les palourdes qui restent fermées. Égouttez les pâtes, mélangez-les avec les palourdes et ajoutez un peu de persil haché. Servez immédiatement.

steaks de thon à la salsa verde

Pour **4 personnes**
Préparation **15 minutes**
+ marinade
Cuisson **2 à 4 minutes**

2 c. à s. d'**huile d'olive**
le **zeste** râpé de 1 **citron**
2 c. à s. de **persil** haché
½ c. à c. de **graines de coriandre** écrasées
4 **steaks de thon** frais de 150 g chacun
sel et **poivre**

Salsa verde
2 c. à s. de **câpres** hachées
2 c. à s. de **cornichons** hachés
1 c. à s. de **persil** finement haché
2 c. à s. de **ciboulette** hachée
2 c. à s. de **cerfeuil** haché
30 g d'**olives vertes** dénoyautées et hachées
1 **échalote** finement hachée (facultatif)
2 c. à s. de **jus de citron**
2 c. à s. d'**huile d'olive**

Mélangez l'huile d'olive, le zeste de citron, le persil et les graines de coriandre dans un saladier. Poivrez généreusement. Badigeonnez les steaks de thon de ce mélange.

Mélangez les ingrédients de la salsa verde, salez, poivrez puis réservez.

Faites chauffer une poêle-gril et faites cuire les steaks de thon 1 à 2 minutes de chaque côté. Le thon doit être saisi mais encore cru. Retirez et laissez reposer quelques minutes.

Servez les steaks de thon avec la salsa verde, une salade verte assaisonnée et de la baguette bien croustillante.

Pour une salsa de poivron jaune à la moutarde à servir en accompagnement à la place de la salsa verde, mélangez dans un bol 2 poivrons jaunes épépinés et finement hachés, 1 cuillerée à soupe de moutarde de Dijon, 2 cuillerées à soupe de ciboulette émincée, 2 cuillerées à soupe de persil haché, 2 cuillerées à soupe d'aneth, 1 cuillerée à café de sucre, 1 cuillerée à soupe de vinaigre de cidre et 2 cuillerées à soupe d'huile d'olive.

saint-jacques sauce aux agrumes

Pour **4 personnes**
Préparation **10 minutes**
Cuisson **10 minutes**

16 grosses **crevettes** crues, sans tête
24 **noix de Saint-Jacques** sans corail
1 grosse **mangue** mûre mais ferme, pelée, dénoyautée et coupée en morceaux
2 c. à s. d'**huile d'olive**
125 g de **mesclun**
sel et **poivre**

Sauce aux agrumes
le **jus** de ½ **pamplemousse rose**
le **zeste** finement râpé et le **jus** de 1 **citron vert**
1 c. à c. de **miel** liquide
1 c. à s. de **vinaigre de framboise**
75 ml d'**huile aromatisée au citron**

Préparez la sauce aux agrumes en mélangeant tous les ingrédients dans un bol.

Plongez les crevettes dans de l'eau bouillante 2 minutes, puis égouttez-les.

Mettez les noix de Saint-Jacques, la mangue et les crevettes dans un saladier et versez 3 cuillerées à soupe de sauce aux agrumes. Mélangez bien et enfilez les morceaux sur 8 brochettes, en alternant les ingrédients.

Faites chauffer l'huile d'olive dans une grande poêle à feu moyen et faites revenir les brochettes 5 à 7 minutes en les retournant et en les arrosant de temps en temps de sauce, jusqu'à ce qu'elles soient grillées.

Placez les feuilles de salade sur des assiettes puis disposez les brochettes. Arrosez avec le reste de la sauce aux agrumes.

Pour des brochettes halloumi-mangue et sauce aux agrumes, remplacez les noix de Saint-Jacques et les crevettes par 450 à 500 g de fromage halloumi coupé en cubes. Enrobez-les de vinaigrette aux agrumes, puis enfilez-les sur 8 brochettes, en les alternant avec les morceaux de mangue. Faites frire à la poêle comme ci-dessus. Vous pouvez aussi les cuire au barbecue 5 à 7 minutes.

rouget grillé aux épinards

Pour **4 personnes**
Préparation **5 minutes**
Cuisson **8 minutes**

4 **filets de rouget** de 175 g chacun
250 g de **jeunes pousses d'épinard**
1 c. à c. de **graines de courge**
1 c. à c. de **graines de tournesol**
2 c. à c. d'**huile d'olive**
1 botte de **ciboules** parées pour décorer

Faites chauffer une poêle-gril à feu moyen, disposez-y les filets de rouget et faites cuire 4 minutes de chaque côté.

Faites cuire les épinards à la vapeur, égouttez-les, puis mélangez-les avec les graines de courge et de tournesol dans un saladier. Formez un lit d'épinards dans les assiettes, posez les rougets par-dessus et décorez de ciboules émincées.

Pour du rouget grillé et couscous, mettez 250 g de couscous dans un saladier résistant à la chaleur et versez 300 ml de bouillon de légumes chaud. Couvrez et laissez reposer 8 minutes environ ou en suivant les instructions de l'emballage, puis aérez les grains avec une fourchette. Égouttez 250 g de poivrons grillés à l'huile (pas besoin de les couper) et mélangez-les au couscous avec 1 cuillerée à soupe de cumin moulu, 1 cuillerée à soupe de coriandre moulue et 1 cuillerée à soupe d'huile d'olive. Faites cuire les filets de rouget comme ci-dessus et servez sur un lit de couscous, parsemé de ciboules émincées.

crevettes et purée de haricots

Pour **4 personnes**
Préparation **10 minutes**
Cuisson **10 minutes**

4 c. à s. d'**huile d'olive**
1 grand **oignon** finement haché
3 gousses d'**ail** écrasées
800 g de **haricots blancs** en conserve, égouttés
100 ml de **bouillon de légumes** ou **de poisson**
400 g de **crevettes** décortiquées
½ c. à c. de **paprika doux**
2 c. à s. de **pâte de tomates séchées**
1 c. à s. d'**origan** haché
2 c. à c. de **miel** clair
sel et **poivre**

Dans une casserole, faites chauffer 2 cuillerées à soupe d'huile d'olive et faites revenir l'oignon 5 minutes. Incorporez l'ail et faites revenir encore quelques minutes.

Retirez la casserole du feu. Versez-y les haricots et écrasez-les à l'aide d'un presse-purée. Ajoutez le bouillon, poivrez généreusement puis réservez.

Saupoudrez les crevettes de paprika et de sel. Dans une poêle, faites chauffer l'huile restante et faites frire les crevettes 5 à 6 minutes, en remuant 1 ou 2 fois, jusqu'à ce qu'elles changent de couleur. Incorporez la pâte de tomates séchées, l'origan, le miel, 2 cuillerées à soupe d'eau et laissez cuire 2 à 3 minutes jusqu'à ébullition.

Réchauffez les haricots. Dans une assiette, formez un lit de haricots et déposez les crevettes avec leur jus de cuisson.

Pour du cabillaud aux haricots, préparez les haricots comme ci-dessus. Tartinez 4 filets de cabillaud de 175 g chacun de 1 cuillerée à café de tapenade d'olives noires. Dans une poêle-gril, faites chauffer 2 cuillerées à soupe d'huile d'olive à feu moyen et faites cuire le poisson 5 minutes de chaque côté. Servez sur un lit de purée de haricots, parsemez d'olives et de persil hachés.

salade de pâtes, crabe et roquette

Pour **1 personne**
Préparation **5 minutes**
+ refroidissement
Cuisson **10 minutes**

50 g de **rigatonis**
le **zeste** râpé et le **jus** de ½ **citron vert**
2 c. à s. de **crème fraîche**
85 g de **chair de crabe** en conserve, égouttée
8 **tomates cerises** coupées en deux
1 poignée de **roquette**

Faites cuire les pâtes en suivant les instructions de l'emballage puis laissez-les refroidir.

Mélangez le zeste et le jus de citron vert, la crème fraîche et la chair de crabe dans un saladier. Ajoutez les pâtes froides et mélangez.

Ajoutez les tomates et la roquette, mélangez puis servez.

Pour une salade de pâtes au thon et au piment, faites cuire les pâtes comme ci-dessus. Égouttez 140 g de thon en conserve et mélangez-le avec les pâtes. Épépinez et hachez 1 piment rouge. Mélangez les pâtes avec le zeste et le jus de 1 citron, 2 cuillerées à soupe de persil haché, 1 poignée de roquette et 2 cuillerées à soupe d'huile d'olive. Salez et poivrez. Servez.

saumon soja-orange et nouilles

Pour **4 personnes**
Préparation **5 minutes**
Cuisson **10 à 15 minutes**

4 pavés de **saumon** sans peau de 175 g chacun
huile d'olive en spray pour la poêle
250 g de **nouilles soba**
2 c. à s. d'**huile de sésame**
2 c. à s. de **graines de sésame**
4 c. à s. de **sauce soja** foncée
2 c. à s. de **jus d'orange**
2 c. à s. de **mirin**

Retirez toutes les arêtes du saumon. Faites chauffer une poêle à fond épais, puis vaporisez-la légèrement d'huile d'olive. Faites saisir les pavés de saumon 3 à 4 minutes de chaque côté. Retirez-les de la poêle, enveloppez-les dans du papier d'aluminium sans trop serrer et réservez-les 5 minutes.

Pendant ce temps, plongez les nouilles dans une grande casserole d'eau bouillante. Ramenez à ébullition et faites cuire environ 5 minutes. Égouttez-les, puis mélangez-les avec l'huile et les graines de sésame.

Pendant la cuisson des nouilles, mélangez la sauce soja, le jus d'orange et le mirin. Versez ce mélange dans la poêle, portez à ébullition, puis baissez le feu et laissez mijoter 1 minute.

Répartissez les nouilles dans des bols, déposez dessus le saumon puis versez la sauce. Servez avec des pois gourmands cuits à la vapeur.

Pour des papillotes de saumon à l'orange et au soja, posez chaque pavé de saumon sur un carré de papier d'aluminium de 30 cm de côté. Remontez les bords, ajoutez la sauce soja, le jus d'orange et le mirin préparés comme ci-dessus, parsemez de 2 ciboules émincées, 2 gousses d'ail émincées et 2 cuillerées à café de gingembre frais râpé. Fermez les papillotes et enfournez pour 15 minutes dans un four préchauffé à 200 °C. Servez avec du riz cuit à la vapeur.

fruits de mer grillés

Pour **4 personnes**
Préparation **10 minutes**
+ infusion
Cuisson **10 minutes**

300 g de **calamars** prêts à l'emploi
12 **crevettes** crues décortiquées
12 **palourdes** fraîches nettoyées
12 **moules** fraîches grattées et ébarbées
quartiers de **citron** pour servir

Sauce
2 gousses d'**ail** écrasées
6 c. à s. d'**huile d'olive vierge extra**
2 c. à s. de **persil** haché

Coupez verticalement un côté de chaque calamar et mettez-le à plat sur une planche à découper. À l'aide d'un couteau pointu, dessinez une grille sur la partie intérieure du calamar, puis coupez-le en petits carrés de 3 cm. Réservez au réfrigérateur.

Préparez la sauce en mélangeant dans un bol l'ail, l'huile d'olive et le persil. Laissez infuser au moins 15 minutes.

Faites chauffer une poêle-gril et enduisez les crevettes et les calamars avec la moitié de la sauce. Faites griller les crevettes 3 à 4 minutes de chaque côté, puis réservez-les dans une assiette de service chaude.

Disposez dans la poêle les carrés de calamar (sans les tentacules), les palourdes et les moules et laissez cuire 5 à 7 minutes. Jetez tout coquillage qui reste fermé. Ajoutez les tentacules des calamars et faites cuire encore 2 à 3 minutes, puis mettez le tout dans l'assiette de service et enduisez de la sauce restante. Servez avec des tranches de citron, le dip à l'avocat (voir ci-dessous) et du pain.

Pour un dip à l'avocat à servir en accompagnement, coupez, dénoyautez et pelez 2 grands avocats très mûrs et mixez-les dans un robot avec 2 cuillerées à soupe de mayonnaise, 2 cuillerées à soupe de crème fraîche, le jus de 1 citron, 1 cuillerée à café de sauce aux piments doux (facultatif), du sel et du poivre. Versez dans un petit bol que vous présenterez sur l'assiette de service.

sardines grillées et salsa de tomates

Pour **1 personne**
Préparation **10 minutes**
Cuisson **3 à 4 minutes**

3 **sardines** fraîches (125 g au total) vidées
4 c. à s. de **jus de citron**
1 c. à s. de **basilic** haché
sel et **poivre**

Salsa de tomates
8 **tomates cerises** hachées
1 **ciboule** émincée
1 c. à s. de **basilic** haché
½ **poivron rouge** épépiné et coupé en morceaux

Préparez la salsa de tomates en mélangeant tous les ingrédients dans un bol.

Disposez les sardines sur une feuille de papier sulfurisé et arrosez-les de jus de citron. Salez et poivrez. Faites cuire 3 à 4 minutes sous le gril du four préchauffé jusqu'à ce qu'elles soient cuites à cœur.

Parsemez de basilic haché et servez immédiatement avec la salsa et une ciabatta grillée.

Pour des toasts rapides aux sardines et aux anchois, faites cuire les sardines comme ci-dessus, puis mixez-les au blender avec 50 g d'anchois à l'huile en conserve, égouttés, 1 gousse d'ail, 1 petite branche de persil et 2 cuillerées à soupe d'huile d'olive. Tartinez les tranches de ciabatta de cette pâte, parsemez de persil puis servez.

cabillaud aux tomates cerises

Pour **4 personnes**
Préparation **5 minutes**
Cuisson **12 à 15 minutes**

4 **filets de cabillaud** de 150 g chacun
3 c. à s. d'**huile d'olive**
2 gousses d'**ail** hachées
300 g de **tomates cerises** en branche
2 c. à s. de **vinaigre balsamique**
4 c. à s. de **basilic** haché
125 g de **roquette**
sel et **poivre**

Badigeonnez les filets de cabillaud avec 1 cuillerée à soupe d'huile d'olive puis assaisonnez-les. Parsemez d'ail et placez le poisson sur une plaque de four. Disposez les tomates cerises à côté du poisson et versez dessus un filet d'huile d'olive et le vinaigre balsamique. Parsemez de basilic. Salez et poivrez.

Faites cuire 12 à 15 minutes dans un four préchauffé à 220 °C, jusqu'à ce que le poisson soit cuit et que les tomates soient grillées. Servez le cabillaud avec les tomates et les feuilles de roquette.

Pour du cabillaud et salsa à l'italienne, faites griller le cabillaud 5 à 6 minutes à la poêle. Pour la salsa à l'italienne, mélangez dans un bol 8 tomates séchées hachées, 2 cuillerées à soupe de basilic grossièrement haché, 1 cuillerée à soupe de câpres égouttées, 1 cuillerée à soupe de pignons de pin grillés et légèrement écrasés et 2 cuillerées à soupe d'huile d'olive. Servez avec une salade de roquette.

salade de truite fumée aux raisins

Pour **2 personnes**
Préparation **15 minutes**

200 g de **truite fumée**
160 g de **raisins rouges** sans pépins
75 g de **cresson**
1 bulbe de **fenouil**

Sauce
3 c. à s. de **mayonnaise**
4 **cornichons** coupés en dés
1 ½ c. à s. de **câpres** hachées
2 c. à s. de **jus de citron**
sel et **poivre**

Coupez la truite fumée en morceaux. Retirez les éventuelles arêtes puis mettez la truite dans un saladier.

Lavez et égouttez le raisin et le cresson. Émincez le fenouil. Mettez-les dans le saladier.

Préparez la sauce en mélangeant la mayonnaise, les dés de cornichon, les câpres hachées et le jus de citron. Salez et poivrez. Mélangez délicatement la sauce et la salade, puis servez.

Pour des truites grillées et salade aux raisins, ajoutez 1 œuf dur finement haché, 2 filets d'anchois finement hachés et 1 cuillerée à soupe de persil haché à la sauce préparée comme ci-dessus. Préparez la salade comme ci-dessus en ajoutant 1 pomme verte coupée en bâtonnets. Salez et poivrez 2 truites vidées de 140 g chacune. Faites chauffer 1 cuillerée à soupe d'huile dans une poêle à feu vif et faites cuire les truites 4 minutes, en appuyant dessus pendant la cuisson pour que la peau soit uniformément grillée. Retournez les truites et faites cuire 2 minutes. Retirez-les de la poêle. Mélangez la salade et la sauce puis servez aussitôt avec les truites grillées.

filets de saumon à la sauge et quinoa

Pour **4 personnes**
Préparation **5 minutes**
Cuisson **15 minutes**

200 g de **quinoa**
100 g de **beurre** à température ambiante
8 feuilles de **sauge** hachées
1 petite botte de **ciboulette**
le **zeste** et le **jus** de 1 **citron**
4 pavés de **saumon** de 175 g chacun
1 c. à s. d'**huile d'olive**
sel et **poivre**

Faites cuire le quinoa dans de l'eau bouillante non salée 15 minutes environ ou en suivant les instructions de l'emballage, jusqu'à ce qu'il soit cuit mais encore ferme.

Mélangez le beurre avec la sauge, la ciboulette et le zeste de citron. Salez et poivrez.

Badigeonnez les pavés de saumon d'huile d'olive, poivrez et faites-les cuire dans une poêle-gril 6 minutes, en les retournant à mi-cuisson. Retirez-les et réservez.

Égouttez le quinoa, versez le jus de citron, mélangez et assaisonnez à votre goût. Répartissez le quinoa sur les assiettes, disposez le saumon sur le quinoa et ajoutez un petit morceau de beurre de sauge sur chaque pavé de saumon.

Pour du saumon et couscous à l'estragon, remplacez la sauge par 4 petites branches d'estragon et le quinoa par 250 g de couscous. Mettez le couscous dans un saladier résistant à la chaleur et versez-y 400 ml d'eau bouillante. Couvrez et laissez reposer 5 à 8 minutes, ou en suivant les instructions de l'emballage, puis aérez le couscous avec une fourchette. Assaisonnez avec un peu de jus de citron et d'huile d'olive puis servez avec le saumon, comme ci-dessus.

recettes végétariennes

pizza de piadina au fromage bleu

Pour **4 personnes**
Préparation **5 minutes**
Cuisson **7 à 8 minutes**

4 **piadinas** italiennes de 20 cm de diamètre
200 g de **gorgonzola** ou de **dolcelatte** émietté
8 tranches de **prosciutto**
50 g de **roquette**
un filet d'**huile d'olive vierge extra**
poivre

Disposez les piadinas sur 2 feuilles de papier sulfurisé et remplissez-en le centre de fromage bleu.

Faites-les cuire 7 à 8 minutes au four préchauffé à 200 °C, jusqu'à ce qu'elles croustillent et que le fromage fonde.

Complétez les pizzas avec du prosciutto et de la roquette. Salez, poivrez et versez un filet d'huile d'olive. Servez immédiatement.

Pour des pizzas de naan, mettez 4 naans sur 2 feuilles de papier sulfurisé et couvrez-les de 1 cuillerée à soupe de purée de tomates. Ajoutez 200 g de mozzarella coupée en tranches et complétez avec quelques champignons marinés en conserve égouttés et un peu de thym. Faites cuire au four comme ci-dessus.

tortillas tomate-oignon-ricotta

Pour **1 personne**
Préparation **10 minutes**
Cuisson **4 à 5 minutes**

40 g de **ricotta**
½ **oignon rouge** émincé
1 **tomate** finement hachée
¼ de **piment vert** épépiné et finement haché
1 c. à s. de **coriandre** fraîche hachée
2 petites **tortillas de blé**
huile d'olive pour enduire

Dans un bol, mélangez la ricotta, l'oignon, la tomate, le piment et la coriandre.

Faites chauffer une poêle-gril. Enduisez les tortillas d'un peu d'huile d'olive, mettez-les sur la poêle et faites-en griller rapidement les 2 côtés.

Étalez la moitié de la ricotta sur une moitié de chaque tortilla, puis pliez-les en deux. Servez immédiatement avec de la salade verte.

Pour des quesadillas mexicaines, mélangez dans un bol ½ poivron rouge épépiné et coupé en morceaux, 1 ciboule émincée, 25 g de gruyère râpé, 3 piments jalapeños en conserve et 1 cuillerée à soupe de coriandre fraîche hachée. Étalez ce mélange sur 1 tortilla et posez l'autre tortilla par-dessus. Placez les tortillas dans une poêle antiadhésive et faites cuire à feu moyen jusqu'à ce que le fromage fonde. Retournez et faites griller quelques minutes de l'autre côté. Faites glisser les tortillas sur une assiette, coupez-les en quartiers et servez avec du guacamole et de la crème fraîche.

salade aux fèves et au chèvre

Pour **4 personnes**
Préparation **10 minutes**
Cuisson **15 à 20 minutes**

250 g de **tomates** mûres
2 gousses d'**ail** épluchées
5 c. à s. d'**huile d'olive vierge extra**
1 c. à s. de **vinaigre balsamique** vieux
300 g de **fèves** écossées, fraîches ou surgelées
300 g de **farfalles**
200 g de **fromage de chèvre** émietté
20 feuilles de **basilic** déchiquetées
sel et **poivre**

Mixez finement les tomates et l'ail. Versez dans un grand saladier et ajoutez l'huile d'olive et le vinaigre. Salez et poivrez.

Faites cuire les fèves dans une casserole d'eau bouillante jusqu'à ce qu'elles soient tendres (6 à 8 minutes pour des fèves fraîches, 2 minutes pour des fèves surgelées). Égouttez-les, passez-les sous l'eau froide, puis égouttez-les de nouveau. Retirez la peau. Ajoutez les fèves aux tomates et laissez reposer pendant la cuisson des pâtes.

Faites cuire les pâtes dans une grande casserole d'eau bouillante salée en suivant les instructions de l'emballage. Égouttez-les, passez-les sous l'eau froide, puis égouttez-les de nouveau.

Versez les pâtes dans le saladier contenant les tomates et les fèves. Ajoutez le fromage de chèvre et le basilic, puis remuez délicatement. Rectifiez l'assaisonnement. Laissez reposer au moins 5 minutes avant de servir.

Pour une salade de farfalles aux haricots de soja et au pecorino, préparez le mélange tomates-ail comme ci-dessus. Remplacez les fèves par 250 g de haricots de soja cuits, ajoutez-les au mélange tomates-ail. Faites cuire les pâtes comme ci-dessus puis incorporez-les à la préparation précédente. Ne mettez pas de fromage de chèvre ni de basilic, et ajoutez 60 g de copeaux de pecorino et 3 cuillerées à soupe de menthe ou de persil haché.

légumes sautés au tofu

Pour **4 personnes**
Préparation **10 minutes**
Cuisson **7 minutes**

3 c. à s. d'**huile de tournesol**
300 g de **tofu** ferme coupé en cubes
1 **oignon** émincé
2 **carottes** coupées en rondelles
150 g de fleurettes de **brocoli** + la tige coupée en morceaux
1 **poivron rouge** évidé et coupé en lamelles
1 grosse **courgette** coupée en rondelles
150 g de **pois gourmands**
2 c. à s. de **sauce soja**
2 c. à s. de **sauce aux piments doux**
125 ml d'**eau**

Pour décorer
piments rouges coupés en lamelles
quelques feuilles de **basilic thaï** ou classique

Faites chauffer 1 cuillerée à soupe d'huile dans un wok ou une grande poêle jusqu'à ce qu'elle commence à fumer, ajoutez le tofu et faites sauter 2 minutes à feu vif. Retirez-le du wok à l'aide d'une écumoire.

Faites chauffer le reste de l'huile dans le wok et faites sauter l'oignon et les carottes pendant 1 minute 30. Ajoutez le brocoli et le poivron rouge puis faites sauter 1 minute. Enfin, ajoutez la courgette et les pois gourmands, et faites sauter 1 minute de plus.

Mélangez la sauce soja et la sauce aux piments doux avec l'eau. Versez ce mélange dans le wok avec le tofu. Faites cuire 1 minute. Servez dans des bols. Décorez avec les lamelles de piments rouges et les feuilles de basilic thaï.

Pour des légumes sautés aux noix de cajou, faites chauffer 1 cuillerée à soupe d'huile de tournesol dans un wok ou une grande poêle et faites sauter 2 piments rouges épépinés et émincés, 2 oignons coupés en quartiers et ¼ de cuillerée à café de grains de poivre noir concassés pendant 2 minutes. Ajoutez les légumes comme ci-dessus et faites sauter jusqu'à ce qu'ils soient tendres. Incorporez 2 cuillerées à soupe de sauce soja et 1 cuillerée à soupe de sucre. Parsemez de feuilles de basilic et ajoutez 200 g de noix de cajou grillées. Servez avec du riz thaï.

frittata au maïs et au poivron

Pour **4 personnes**
Préparation **10 minutes**
Cuisson **10 minutes**

2 c. à s. d'**huile d'olive**
4 **ciboules** émincées
200 g de **maïs doux** en conserve, égoutté
150 g de **poivrons rouges** grillés et marinés dans l'huile d'olive en bocal, égouttés et coupés en lanières
4 **œufs** légèrement battus
125 g de **cheddar** ou de **gruyère** râpé
1 petite poignée de **ciboulette** ciselée
sel et **poivre**

Faites chauffer l'huile d'olive dans une poêle allant au four, puis faites-y revenir les ciboules, le maïs et les lanières de poivron pendant 30 secondes.

Ajoutez les œufs, le fromage, la ciboulette, du sel et du poivre puis faites cuire 4 à 5 minutes à feu moyen jusqu'à ce que le dessous ait pris.

Retirez la poêle du feu et glissez-la 3 à 4 minutes sous le gril du four préchauffé jusqu'à ce que le dessus de la frittata soit doré. Coupez la frittata en morceaux et servez aussitôt avec une salade verte et du pain croustillant.

Pour une frittata aux courgettes, au poivron et au gruyère, remplacez le maïs par 200 g de courgettes coupées en petits morceaux, le cheddar par 125 g de gruyère râpé, et la ciboulette par 4 cuillerées à soupe de menthe ciselée. Assaisonnez et faites cuire comme ci-dessus.

curry vert aux champignons

Pour **4 personnes**
Préparation **10 minutes**
Cuisson **10 minutes**

300 ml de **lait de coco** + un filet
40 g de **pâte de curry verte**
300 ml de **bouillon de légumes**
2 **aubergines** coupées en gros morceaux
40 g de **cassonade**
4 c. à c. de **sauce soja**
25 g de **gingembre frais** pelé et finement haché
425 g de **champignons de paille** en conserve égouttés
50 g de **poivron vert** épépiné et coupé en fines lamelles
sel

Versez le lait de coco et la pâte de curry dans une casserole et faites chauffer à feu moyen. Mélangez bien. Versez le bouillon, puis ajoutez les aubergines, la cassonade, la sauce soja et le gingembre. Salez.

Portez à ébullition et faites cuire 5 minutes, tout en remuant. Ajoutez les champignons et le poivron, baissez le feu et laissez cuire 2 minutes jusqu'à ce que le tout soit bien chaud.

Servez dans des bols et décorez avec un filet de lait de coco supplémentaire.

Pour du korma végétarien, faites chauffer 1 cuillerée à soupe d'huile végétale dans une grande casserole, ajoutez 1 oignon finement haché, 3 gousses de cardamome, 2 cuillerées à café de graines de cumin, 2 cuillerées à café de grains de coriandre et ½ cuillerée à café de curcuma. Faites cuire 5 à 6 minutes jusqu'à ce que l'oignon soit doré. Ajoutez 1 piment vert épépiné et émincé, 1 gousse d'ail écrasée et 2 cm de gingembre frais pelé et râpé. Laissez cuire 1 minute, puis ajoutez un mélange de légumes préparés (choux-fleurs, poivrons, carottes, courgettes) et laissez cuire encore 5 minutes. Retirez du feu et incorporez 200 ml de yaourt et 2 cuillerées à soupe de poudre d'amandes. Parsemez de coriandre hachée et servez accompagné de riz basmati.

panzanella

Pour **4 personnes**
Préparation **15 minutes**
+ repos

600 g de **tomates**
1 c. à s. de **gros sel**
150 g de pain **ciabatta**
½ **oignon rouge** finement haché
1 poignée de feuilles de **basilic** + quelques-unes pour décorer
1 c. à s. de **vinaigre de vin rouge**
2 c. à s. d'**huile d'olive**
12 **anchois au vinaigre** égouttés
sel et **poivre**

Coupez les tomates en morceaux de 2 cm et mettez-les dans un saladier non métallique. Saupoudrez-les de sel et laissez reposer 1 heure.

Retirez la croûte du pain et rompez-le en morceaux à la main.

Écrasez les tomates à la main puis ajoutez le pain, l'oignon, le basilic, le vinaigre et l'huile d'olive. Salez et poivrez. Mélangez puis dressez sur des assiettes. Disposez les anchois et le basilic réservé sur le dessus. Servez.

Pour une salade de tomates et haricots, mélangez 1 oignon rouge émincé avec 4 cuillerées à soupe de vinaigre de vin rouge et laissez mariner 30 minutes. Coupez 150 g de pain ciabatta en morceaux et mettez-les sur une plaque. Arrosez d'huile d'olive, salez, poivrez et ajoutez 2 branches de thym. Faites griller le pain au four préchauffé à 190 °C. Mettez 300 g de tomates coupées en dés dans un saladier. Ajoutez 400 g de haricots borlotti en conserve, rincés et égouttés, 400 g de haricots cannellini en conserve, rincés et égouttés, et 1 botte de basilic hachée. Retirez les oignons du vinaigre (réservez le vinaigre) et ajoutez-les dans la salade ainsi que 12 anchois au vinaigre égouttés. Mélangez le vinaigre réservé avec 1 cuillerée à café de moutarde de Dijon et 5 cuillerées à soupe d'huile d'olive. Salez et poivrez. Mélangez la vinaigrette et la salade puis servez avec les croûtons de ciabatta.

salade de couscous au curry

Pour **4 personnes**
Préparation **15 minutes**

le **jus** de 1 **orange**
2 c. à c. de **pâte de curry douce**
200 g de **couscous**
50 g de **raisins secs**
300 ml d'**eau bouillante**
250 g de **filets de maquereau fumé**
1 petit **oignon rouge** finement haché
½ **poivron rouge** équeuté, épépiné et coupé en dés
2 **tomates** hachées
1 petite botte de **coriandre** grossièrement hachée
poivre

Mélangez le jus d'orange et la pâte de curry dans un bol. Ajoutez le couscous, les raisins secs et un peu de poivre. Versez l'eau bouillante et mélangez avec une fourchette. Laissez reposer 5 minutes.

Pendant ce temps, retirez la peau des filets de maquereau et coupez la chair en morceaux en retirant les éventuelles arêtes.

Mélangez le maquereau, l'oignon, le poivron et les tomates avec le couscous. Parsemez de coriandre hachée. Dressez sur les assiettes et servez aussitôt.

Pour un couscous au curry et côtelettes d'agneau, mélangez 4 cuillerées à soupe de yaourt nature et 1 cuillerée à café de pâte de curry. Faites mariner 12 côtelettes d'agneau dans ce mélange. Préparez le couscous comme ci-dessus mais sans le maquereau. Faites chauffer 2 cuillerées à soupe d'huile dans une poêle-gril ou une poêle antiadhésive et faites cuire les côtelettes d'agneau à feu vif 3 minutes de chaque côté. Parsemez de coriandre hachée et servez l'agneau avec le couscous.

tortellinis au fromage et poivrons

Pour **4 personnes**
Préparation **10 minutes**
+ refroidissement
Cuisson **15 minutes**

2 **poivrons rouges**
2 gousses d'**ail** hachées
8 **ciboules** émincées
500 g de **tortellinis frais au fromage**, ou une autre variété de tortellinis frais
175 ml d'**huile d'olive**
25 g de **parmesan** finement râpé
sel et **poivre**

Évidez les poivrons puis coupez-les en gros morceaux. Placez les poivrons, côté peau vers le haut, sous le gril du four préchauffé, et faites-les griller jusqu'à ce que la peau commence à noircir et à se boursoufler. Emballez les poivrons dans un sac en plastique. Quand ils ont refroidi, pelez-les.

Placez les poivrons et l'ail dans un robot et mixez-les jusqu'à l'obtention d'une pâte relativement lisse. Ajoutez les ciboules puis réservez.

Faites cuire les tortellinis dans une grande quantité d'eau bouillante, en suivant les instructions du paquet. Égouttez-les et remettez-les dans la casserole.

Versez la préparation aux poivrons sur les pâtes, puis ajoutez l'huile d'olive et le parmesan. Salez et poivrez puis servez aussitôt.

Pour une salade chaude de tortellinis au jambon et aux poivrons rouges, pelez les poivrons comme ci-dessus puis coupez-les en tranches fines. Pendant la cuisson des tortellinis, émincez 1 oignon rouge. Égouttez les pâtes et mélangez-les à 125 g de jambon cuit coupé en petits morceaux, 200 g de feuilles de roquette, l'oignon rouge et les poivrons. Servez aussitôt.

champignons stroganoff

Pour **4 personnes**
Préparation **10 minutes**
Cuisson **10 minutes**

1 c. à s. de **beurre**
2 c. à s. d'**huile d'olive**
1 **oignon** émincé
4 gousses d'**ail** hachées finement
500 g de **champignons de Paris** coupés en lamelles
2 c. à s. de **moutarde à l'ancienne**
250 ml de **crème fraîche**
sel et **poivre**
3 c. à s. de **persil** ciselé pour décorer

Faites chauffer le beurre et l'huile d'olive dans une grande poêle puis faites-y fondre l'oignon et l'ail. Ajoutez les champignons et poursuivez la cuisson.

Quand les champignons commencent à dorer, ajoutez la moutarde et la crème fraîche. Quand le mélange est chaud, salez et poivrez. Parsemez de persil ciselé et servez aussitôt.

Pour un velouté aux champignons et croûtons à l'ail, retirez les croûtes de 2 épaisses tranches de pain de mie un peu rassis pendant que les champignons cuisent et frottez-les avec 2 gousses d'ail coupées en deux. Coupez le pain en petits dés que vous ferez frire 5 minutes dans un fond d'huile végétale, en remuant. Quand les croûtons sont bien dorés et croustillants, égouttez-les sur du papier absorbant. Après avoir ajouté la moutarde et la crème fraîche comme ci-dessus, ajoutez 400 ml de bouillon de légumes frémissant puis mixez la préparation jusqu'à l'obtention d'un mélange lisse. Servez ce velouté dans des bols chauds, parsemez de persil ciselé et servez aussitôt avec les croûtons à l'ail.

polenta fromagère aux champignons

Pour **4 personnes**
Préparation **10 minutes**
Cuisson **15 minutes**

400 g d'un mélange de **champignons sauvages** : **cèpes**, **girolles**, **chanterelles**...
25 g de **beurre**
2 gousses d'**ail** hachées
5 feuilles de **sauge**
50 ml de **vermouth sec**
sel et **poivre**

Polenta
750 ml d'**eau**
200 g de **polenta** instantanée
50 g de **parmesan** râpé
50 g de **beurre** coupé en cubes

Nettoyez bien les champignons avec un chiffon humide, puis coupez les cèpes en tranches et les autres champignons en deux.

Faites fondre le beurre dans une grande poêle à feu moyen. Ajoutez l'ail, la sauge, les champignons, salez, poivrez et faites cuire 5 à 6 minutes. Versez le vermouth et faites cuire encore 1 minute, tout en remuant.

Pour la polenta, portez l'eau à ébullition dans une grande casserole à fond épais. Mettez la polenta dans un récipient muni d'un bec verseur, puis versez-la doucement dans l'eau, en remuant avec une cuillère en bois pour éviter la formation de grumeaux. Baissez le feu et laissez mijoter, en remuant, 5 minutes environ jusqu'à ce que la polenta se détache des parois de la casserole. Incorporez le beurre, le parmesan, salez et poivrez.

Disposez la polenta dans 4 assiettes de service et versez les champignons par-dessus.

Pour de la polenta fromagère aux champignons et à la tomate, faites cuire les champignons comme ci-dessus mais remplacez la sauge par 3 petites branches de thym hachées et le vermouth par 150 ml de vin rouge. Au moment d'ajouter le vin, faites-le bouillir 1 minute, puis incorporez 300 ml de purée de tomates. Salez, poivrez et portez à ébullition, puis laissez mijoter 5 minutes. Faites cuire la polenta comme ci-dessus, puis ajoutez petit à petit le parmesan. Servez avec la sauce aux champignons.

salade de pâtes printanière

Pour **4 personnes**
Préparation **10 minutes**
Cuisson **10 minutes**

4 c. à s. d'**huile d'olive vierge extra**
1 gousse d'**ail** écrasée
le **zeste** finement râpé et le **jus** de ½ **citron**
6 **ciboules** émincées
175 g de **fusillis**
150 g de **pointes d'asperge** coupées en tronçons de 2,5 cm
150 g de **haricots verts** équeutés et coupés en tronçons de 2,5 cm
50 g de **petits pois** écossés, frais ou surgelés
1 boule de **mozzarella de bufflonne** égouttée et coupée en petits dés
50 g de **cresson**
2 c. à s. de **persil plat** grossièrement haché
2 c. à s. de **ciboulette** ciselée
8 feuilles de **basilic** déchiquetées
sel et **poivre**

Mélangez l'huile d'olive, l'ail, le zeste et le jus de citron ainsi que les ciboules dans un grand saladier de service non métallique, et laissez mariner pendant la cuisson des pâtes.

Faites cuire les pâtes dans une grande casserole d'eau bouillante salée en suivant les instructions de l'emballage, puis ajoutez les asperges, les haricots verts et les petits pois dans la casserole 3 minutes avant la fin de la cuisson.

Égouttez rapidement les pâtes et les légumes, puis versez-les dans le saladier contenant la sauce. Réservez dans un endroit frais jusqu'à refroidissement à température ambiante.

Ajoutez tous les ingrédients restants dans la salade de pâtes. Salez et poivrez, puis laissez reposer au moins 5 minutes avant de servir, afin que les arômes se mélangent.

Pour une salade de pâtes aux pois gourmands et aux fèves, préparez la sauce et faites cuire les pâtes comme ci-dessus. Remplacez les asperges par 150 g de pois gourmands et les haricots verts par 150 g de fèves. Coupez les pois gourmands en deux puis ajoutez-les avec les fèves dans la casserole 3 à 5 minutes avant la fin de la cuisson des pâtes. Remplacez le cresson par 50 g de roquette.

curry à la mangue

Pour **4 personnes**
Préparation **10 minutes**
Cuisson **8 à 10 minutes**

1 c. à s. d'**huile végétale**
1 c. à c. de **graines de moutarde**
1 **oignon** émincé
15 à 20 **feuilles de curry**
½ c. à c. de **flocons de piment séché**
1 c. à c. de **gingembre frais** pelé et haché
1 **piment vert** épépiné et haché
1 c. à c. de **curcuma**
3 **mangues** mûres pelées, dénoyautées et coupées en tranches fines
400 ml de **yaourt nature** légèrement battu
sel

Faites chauffer l'huile dans une grande casserole, ajoutez les graines de moutarde, l'oignon, les feuilles de curry, les flocons de piment séché et faites revenir 4 à 5 minutes en remuant jusqu'à ce que l'oignon brunisse.

Ajoutez le gingembre et le piment, et faites revenir 1 minute, puis ajoutez le curcuma et mélangez bien.

Retirez la casserole du feu, ajoutes les mangues et le yaourt sans cesser de remuer. Salez.

Remettez la casserole sur un feu doux et faites chauffer 1 minute, toujours en remuant (ne faites pas bouillir pour ne pas figer le curry). Servez immédiatement avec 4 chapatis chauds.

Pour du curry à l'aubergine et aux petits pois, faites chauffer 3 cuillerées à soupe d'huile de tournesol dans une grande poêle, ajoutez 4 pommes de terre pelées et coupées en cubes, 1 aubergine coupée en petits morceaux, 2 oignons émincés, 2 gousses d'ail écrasées, 1 cuillerée à soupe de pâte de gingembre et 2 cuillerées à soupe de curry en poudre. Faites revenir 3 à 4 minutes jusqu'à ce que l'oignon soit doré, puis versez 600 ml de bouillon de légumes ou de poulet. Laissez cuire encore 10 à 15 minutes, incorporez 150 ml de crème fraîche puis servez avec des naans.

pizza taleggio et asperges

Pour **2 personnes**
Préparation **5 minutes**
Cuisson **10 minutes**

5 c. à s. de **passata** (purée de tomates)
1 c. à s. de **pesto rouge**
1 pincée de **sel**
1 **pâte à pizza à l'ail**
250 g de **taleggio** sans croûte coupé en tranches
250 g de **tomates cerises** coupées en deux
175 g de **pointes d'asperge** parées
2 c. à s. d'**huile d'olive**
poivre
quelques feuilles de **basilic**

Dans un bol, mélangez la passata, le pesto et le sel, puis étalez ce mélange sur la pâte à pizza. Ajoutez le taleggio, les tomates cerises, les asperges et un filet d'huile d'olive.

Faites cuire la pizza 10 minutes au four préchauffé à 200 °C, jusqu'à ce que les asperges soient tendres et la pâte croustillante. Poivrez et ajoutez quelques feuilles de basilic avant de servir.

Pour une pizza aux artichauts, aux œufs et au jambon de Parme, supprimez le pesto et étalez la passata sur la pâte à pizza, puis ajoutez 400 g de cœurs d'artichaut en conserve, égouttés et coupés en quartiers, 8 tranches de jambon de Parme en chiffonnade et 3 poignées d'olives noires dénoyautées et hachées. Cassez 1 petit œuf au centre de la pizza, puis ajoutez 250 g de mozzarella hachée et quelques feuilles de basilic. Faites cuire comme ci-dessus.

desserts

moelleux au chocolat

Pour **4 personnes**
Préparation **10 minutes**
Cuisson **10 minutes**

100 g de **chocolat au lait** cassé en morceaux
50 g de **beurre doux**
40 g de **cacao en poudre**
75 g de **cassonade**
2 **œufs**, blancs et jaunes séparés
1 c. à c. d'**extrait de vanille**
4 c. à s. de **crème liquide**
sucre glace pour saupoudrer

Faites fondre le chocolat et le beurre au bain-marie. Retirez du feu, ajoutez le cacao en poudre, 50 g de cassonade, les jaunes d'œufs, l'extrait de vanille, la crème liquide et battez jusqu'à obtenir une pâte onctueuse.

Montez les blancs d'œufs en neige, puis ajoutez progressivement le reste de la cassonade. À l'aide d'une grande cuillère en métal, incorporez d'abord ¼ des blancs en neige à la pâte au chocolat. Puis incorporez le reste.

Versez la préparation dans 4 ramequins résistant à la chaleur. Faites cuire 8 à 10 minutes au four préchauffé à 160 °C, jusqu'à ce qu'une fine croûte se forme à la surface. Saupoudrez de sucre glace et servez immédiatement.

Pour des moelleux au chocolat pour adultes, incorporez à la pâte 2 cuillerées à soupe de brandy, de rhum ou de liqueur à l'orange. Continuez comme ci-dessus.

sabayon cerises-cannelle

Pour **4 personnes**
Préparation **10 minutes**
Cuisson **12 minutes**

4 **jaunes d'œufs**
125 g de **sucre semoule**
150 ml de **vin de xérès doux**
1 bonne pincée de **cannelle** + un peu pour décorer
400 g de **cerises noires au sirop**

Versez 5 cm d'eau dans une casserole moyenne et portez à ébullition. Mettez un bol résistant à la chaleur sur la casserole en vous assurant que l'eau ne touche pas le bol. Baissez le feu, puis ajoutez les jaunes d'œufs, le sucre, le xérès et la cannelle. Battez pendant 5 à 8 minutes jusqu'à obtenir une pâte épaisse et mousseuse.

Dans une petite casserole, faites chauffer quelques cerises et un peu de sirop puis répartissez dans 4 verres. Ajoutez le sabayon, saupoudrez de cannelle puis servez avec des amarettis.

Pour du sabayon aux framboises, mixez 225 g de framboises (gardez-en 12 pour la décoration) avec un trait de jus de citron. Passez la purée au tamis afin d'enlever les graines et réservez. Préparez le sabayon comme ci-dessus et versez-le dans 4 verres. Versez le coulis de framboise et formez un tourbillon, puis décorez avec les framboises que vous aviez réservées. Servez avec des biscottis.

bananes épicées

Pour **8 personnes**
Préparation **10 minutes**
Cuisson **10 minutes**

8 **bananes**
2 c. à s. de **jus de citron**
8 c. à s. de **sucre muscovado**
50 g de **beurre** ramolli
1 c. à c. de **cannelle moulue**

Crème de mascarpone au rhum
250 g de **mascarpone**
2 c. à s. de **rhum**
1 à 2 c. à s. de **sucre**

Disposez chaque banane sur une double feuille de papier d'aluminium. Arrosez-les de jus de citron et saupoudrez chaque banane de 1 cuillerée à soupe de sucre muscovado.

Dans un bol, battez le beurre et la cannelle jusqu'à obtenir une crème, puis enduisez les bananes. Enroulez chaque banane dans le papier d'aluminium et faites cuire 10 minutes au barbecue ou sous le gril du four préchauffé à puissance moyenne.

Préparez la crème en mélangeant le mascarpone, le rhum et le sucre dans un bol.

Déroulez les bananes et coupez-les en rondelles épaisses. Servez avec la crème de mascarpone.

Pour de l'ananas au beurre glacé au barbecue, coupez les deux extrémités et retirez la peau de l'ananas, puis coupez-le en quatre et retirez le trognon de chaque quartier. Coupez des tranches de 2,5 cm d'épaisseur, saupoudrez de sucre de chaque côté et faites-les cuire 5 à 6 minutes au barbecue jusqu'à ce qu'elles soient caramélisées. Faites fondre 75 g de beurre dans une petite casserole, puis ajoutez 75 g de sucre demerara et le jus de ½ citron vert. Retirez les graines de 1 gousse de vanille et ajoutez-les à la casserole avec 2 cuillerées à soupe de rhum brun. Faites fondre, tout en remuant, jusqu'à ce que le mélange soit onctueux. Disposez les tranches d'ananas sur une assiette, nappez de beurre au rhum et servez avec une boule de glace.

trifle à l'italienne

Pour **4 personnes**
Préparation **10 minutes**
+ réfrigération
Cuisson **10 minutes**

8 **boudoirs**
2 c. à s. de **confiture de myrtilles**
50 ml de **vin de xérès doux** ou de **vin blanc doux**
250 g de **myrtilles**
1 c. à s. de **Maïzena**
300 ml de **lait**
2 **jaunes d'œufs**
2 c. à s. de **sucre en poudre**
300 ml de **crème liquide**
50 g de **chocolat noir** râpé

Étalez la confiture sur les boudoirs et mettez-les dans un bol en verre. Versez un filet de xérès ou de vin blanc et ajoutez la moitié des myrtilles.

Délayez la Maïzena dans un peu de lait puis incorporez le reste du lait. Versez le tout dans une casserole et portez à ébullition sans cesser de remuer. Retirez du feu.

Dans un saladier, battez les jaunes d'œufs et le sucre jusqu'à obtenir une crème légère. Ajoutez le lait à la Maïzena progressivement, sans cesser de remuer. Mélangez bien, versez sur les myrtilles et les boudoirs, puis complétez avec les myrtilles restantes. Laissez refroidir, puis mettez au réfrigérateur, de préférence toute une nuit.

Avant de servir, fouettez la crème liquide puis versez-la sur le trifle. Saupoudrez de chocolat râpé.

Pour un trifle aux agrumes, mélangez le jus de 3 oranges et 75 ml de limoncello dans un saladier. Disposez les boudoirs dans un bol en verre et versez le liquide par-dessus. Préparez la crème comme ci-dessus, versez-la sur les biscuits puis placez au réfrigérateur. Avant de servir, versez un peu de crème liquide fouettée sur le trifle et décorez avec 1 barquette de framboises et quelques copeaux de chocolat noir.

pancakes au sirop d'érable

Pour **4 personnes**
Préparation **10 minutes**
Cuisson **6 minutes**

1 **œuf**
100 g de **farine**
125 ml de **lait**
2 ½ c. à s. d'**huile végétale**
1 c. à s. de **sucre en poudre**
sirop d'érable pour servir

Préparez la pâte à pancakes. Placez l'œuf, la farine, le lait, l'huile et le sucre dans le bol d'un robot et mixez pour obtenir une pâte lisse et onctueuse.

Faites chauffer une grande poêle antiadhésive à feu moyen et versez 4 petites louches de pâte en les espaçant. Laissez cuire 1 minute environ et dès que des petites bulles se forment à la surface des pancakes, retournez-les à l'aide d'une spatule. Laissez-les cuire encore 1 minute. Répétez l'opération jusqu'à épuisement de la pâte. Vous devez obtenir 12 pancakes.

Arrosez les pancakes d'un filet de sirop d'érable. Servez 3 pancakes par personne, avec une boule de glace à la vanille, si vous le souhaitez.

Pour des pancakes parfumés à l'orange, mélangez 125 g de farine, 2 cuillerées à café de sucre et 2 cuillerées à café de zeste d'orange, 1 cuillerée à café de crème de tartre et 1 cuillerée à café de golden syrup, ½ cuillerée à café de sel et ½ cuillerée à café de bicarbonate de soude, 1 œuf, 125 ml de lait chaud et quelques gouttes d'eau de fleur d'oranger. Faites cuire les pancakes de la même façon.

yaourt aux fruits de la passion

Pour **4 personnes**
Préparation **8 minutes**

6 **fruits de la passion** coupés en deux
300 ml de **yaourt grec**
1 c. à s. de **miel** liquide
200 ml de **crème liquide**
4 **biscuits sablés** pour servir

Mélangez la pulpe des fruits de la passion avec le yaourt et le miel.

Fouettez la crème liquide et mélangez-la au yaourt. Répartissez-la dans des verres puis servez avec les biscuits sablés.

Pour de la crème de yaourt à la mangue et au citron vert, omettez les fruits de la passion. Réduisez en purée 1 grosse mangue mûre, pelée et dénoyautée, puis mélangez-la au zeste râpé de 1 citron vert et à du sucre glace. Mélangez le tout au yaourt, sauf le miel, puis incorporez la crème liquide fouettée.

fondue de chocolat aux fruits

Pour **4 personnes**
Préparation **15 minutes**
Cuisson **10 minutes**

100 g de **Toblerone**
50 g de **chocolat noir**
1 c. à s. de **rhum**
2 c. à s. de **crème fraîche épaisse**

Pour servir
mélange de **fruits** : **fraises**, **cerises**, **bananes**…
biscuits de votre choix

Faites fondre le Toblerone et le chocolat noir au bain-marie, puis ajoutez le rhum et la crème fraîche et continuez à chauffer pendant 1 minute, tout en remuant.

Versez le mélange de chocolat dans une marmite à fondue et réservez au chaud. Trempez les fruits et les biscuits dans le chocolat et amusez-vous !

Pour une fondue au caramel, faites fondre dans une casserole 100 g de cassonade, 4 cuillerées à soupe de sucre vanillé, 300 g de golden syrup et 65 g de beurre doux. Portez à ébullition et laissez bouillir 5 minutes. Ajoutez 250 ml de crème fraîche épaisse et ½ cuillerée à café d'extrait de vanille. Mélangez bien, puis retirez du feu. Versez dans une marmite à fondue puis servez avec des fruits comme ci-dessus.

poires et mascarpone à la menthe

Pour **4 personnes**
Préparation **10 minutes**
Cuisson **5 minutes**

30 g de **beurre doux**
2 c. à s. de **miel** clair
4 **poires à dessert** mûres, par exemple des williams, évidées et coupées en quartiers
jus de citron

Mascarpone à la menthe
1 c. à s. de **menthe** finement hachée
1 c. à s. de **sucre granulé**
175 g de **mascarpone**

Pour décorer
feuilles de **menthe**
sucre glace tamisé
cannelle

Faites fondre le beurre dans une petite casserole. Retirez du feu et ajoutez le miel.

Arrosez les poires avec un peu de jus de citron pour éviter qu'elles noircissent. Superposez une feuille de papier sulfurisé et une feuille de papier d'aluminium et disposez-y les quartiers de poire. Enduisez-les du mélange beurre-miel et faites cuire 5 minutes sous le gril du four préchauffé à puissance maximale.

Préparez le mascarpone à la menthe en mélangeant tous les ingrédients dans un saladier.

Disposez les poires sur 4 assiettes et versez sur chacune un peu de mascarpone. Décorez avec quelques feuilles de menthe, puis saupoudrez légèrement de sucre glace et de cannelle. Servez immédiatement.

Pour des tartelettes aux poires et à la confiture, déroulez une pâte feuilletée de 300 g sur un plan de travail fariné et coupez-en 4 disques de 18 cm de diamètre. Disposez les disques sur 2 feuilles de cuisson beurrées. Épluchez et évidez les poires, coupez-les en tranches fines et mettez-les dans un bol. Mélangez avec juste ce qu'il faut de sucre pour les enrober et ajoutez 2 cuillerées à soupe de jus d'orange. Déposez 1 cuillerée à soupe de confiture de votre choix au centre de chaque disque, étalez les fruits par-dessus et repliez les bords de la pâte. Faites cuire 10 à 12 minutes au four préchauffé à 220 °C. Servez avec 1 boule de glace à la vanille.

pain perdu aux fruits rouges

Pour **4 personnes**
Préparation **10 minutes**
Cuisson **10 minutes**

4 épaisses tranches de **brioche**
2 **œufs**
6 c. à s. de **lait**
50 g de **beurre doux**
150 g de **yaourt grec**
250 g de **framboises**
100 g de **myrtilles**
sucre glace ou **sirop d'érable** pour servir

Coupez chaque tranche de brioche en 2 triangles. Battez les œufs et le lait dans une assiette creuse.

Faites chauffer la moitié du beurre dans une poêle. Plongez brièvement les tranches de brioche dans le mélange œufs-lait, puis faites-en revenir plusieurs dans la poêle. Faites cuire à feu modéré jusqu'à ce que le dessous soit doré. Retournez les tranches et faites-les cuire de l'autre côté. Réservez au chaud pendant que vous faites cuire les autres tranches.

Faites fondre le reste du beurre dans la poêle. Faites cuire les autres tranches de brioche.

Disposez 2 triangles sur chaque assiette. Déposez des cuillerées de yaourt à côté de la brioche. Parsemez de fruits rouges et saupoudrez de sucre glace ou arrosez avec un filet de sirop d'érable. Servez aussitôt.

Pour du pain perdu à la cannelle et aux abricots, faites mijoter 150 g d'abricots secs avec le jus de 1 orange et 125 ml d'eau pendant 10 minutes jusqu'à ce que les abricots soient fondants. Coupez 4 tranches de brioche (ou de pain aux fruits secs) en deux. Mélangez les œufs et le lait comme ci-dessus, avec ¼ de cuillerée à café de cannelle en poudre. Plongez les tranches dans le mélange œufs-lait et faites cuire comme ci-dessus. Disposez les tranches de brioche sur les assiettes avec 150 g de yaourt grec et la compote d'abricots réchauffée.

verrines à la crème de marrons

Pour **4 personnes**
Préparation **15 minutes**

250 g de **fromage frais**
1 c. à s. de **sucre glace** tamisé
100 g de **crème de marrons**
100 g de **meringues** écrasées
copeaux de **chocolat noir** pour décorer (facultatif)

Fouettez le fromage frais avec le sucre glace. Ajoutez la moitié de la crème de marrons et toutes les meringues écrasées.

Répartissez le reste de la crème de marrons dans des coupelles ou des verres puis versez le mélange au fromage frais. Décorez avec des copeaux de chocolat puis servez.

Pour des pancakes à la crème de marrons, incorporez la crème de marrons au fromage frais. Faites chauffer 8 pancakes en suivant les instructions de l'emballage et enduisez-les de fromage frais à la crème de marrons. Enroulez-les et saupoudrez-les de cacao en poudre et de sucre glace.

crème aux myrtilles caramélisées

Pour **6 personnes**
Préparation **10 minutes**
+ refroidissement
Cuisson **5 minutes**

150 g de **sucre en poudre**
3 c. à s. d'**eau froide**
2 c. à s. d'**eau bouillante**
150 g de **myrtilles** fraîches
400 g de **fromage frais**
425 g de **crème pâtissière** prête à l'emploi

Versez le sucre et l'eau froide dans une poêle. Faites chauffer à feu doux, en remuant de temps en temps, jusqu'à ce que le sucre soit complètement dissous. Portez à ébullition et faites cuire 3 à 4 minutes sans remuer, jusqu'à ce que le sirop commence à dorer.

Ajoutez l'eau bouillante en restant bien à l'écart pour éviter les projections. Mélangez en inclinant la poêle. Ajoutez les myrtilles et poursuivez la cuisson 1 minute. Retirez la casserole du feu et laissez refroidir légèrement.

Mélangez le fromage frais et la crème pâtissière. Répartissez ce mélange dans des coupelles. Nappez de myrtilles. Servez aussitôt, accompagné de petites meringues si vous le souhaitez.

Pour une crème aux bananes, préparez le caramel comme ci-dessus. Remplacez les myrtilles par 2 bananes coupées en rondelles. Nappez la crème de bananes caramélisées. Décorez avec un peu de chocolat noir râpé.

tiramisu aux framboises

Pour **4 personnes**
Préparation **15 minutes**
+ réfrigération

6 c. à s. d'**espresso** très fort
3 c. à s. de **grappa** ou de **brandy**
16 **boudoirs**
175 g de **mascarpone**
2 **œufs**, blancs et jaunes séparés
50 g de **sucre glace**
200 g de **framboises**
25 g de **chocolat noir**

Dans un bol, mélangez l'espresso et la grappa ou le brandy. Imbibez les boudoirs de ce mélange, puis disposez-en la moitié sur le fond d'un plat peu profond, en éliminant le liquide en excès.

Dans un saladier, mélangez à l'aide d'un fouet le mascarpone, les jaunes d'œufs et le sucre jusqu'à obtenir une crème onctueuse. Dans un autre saladier, montez les blancs d'œufs en neige, puis incorporez-les au mascarpone.

Étalez la moitié de la crème sur les boudoirs et lissez la surface avec une cuillère. Éparpillez la moitié des framboises, puis répétez l'opération pour former une deuxième couche de biscuits, de crème et de framboises. Râpez du chocolat par-dessus, puis couvrez et laissez reposer au réfrigérateur, de préférence toute la nuit.

Pour du tiramisu à l'orange, remplacez la grappa ou le brandy par du Grand Marnier et les framboises par le jus de 1 grosse orange. Quand vous fouettez le mascarpone, les œufs et le sucre, ajoutez le zeste râpé de 1 orange. Continuez comme ci-dessus, mais remplacez le chocolat noir par du chocolat noir à l'orange.

croquant aux amandes

Pour **8 personnes**
Préparation **5 minutes**
Cuisson **10 minutes**

250 g d'**amandes** émondées
250 g de **sucre**
4 c. à s. d'**eau**

Chemisez une feuille à pâtisserie de papier sulfurisé.

Faites griller les amandes dans une poêle jusqu'à ce qu'elles soient légèrement brunies. Laisser refroidir un peu, puis concassez-les grossièrement.

Faites chauffer une poêle antiadhésive à feu doux, ajoutez le sucre et l'eau et faites dissoudre, sans remuer, jusqu'à ce que le caramel brunisse légèrement. Faites attention à ce que le feu ne soit pas trop fort afin de ne pas brûler le caramel, sinon il aurait un goût amer.

Incorporez les amandes, puis versez le tout sur le papier sulfurisé. Laissez durcir, puis cassez en petits morceaux et réservez dans un récipient hermétique. Servez avec une boule de glace ou avec un café fort.

Pour des mendiants aux amandes, faites fondre 200 g de chocolat noir au bain-marie. Avec une cuillère à café, déposez-en de petites portions sur une feuille de papier sulfurisé posé sur une feuille à pâtisserie, puis aplatissez-les pour former des disques. Parsemez de quelques amandes cassées et de quelques fruits secs. Laissez reposer dans un endroit frais (pas au réfrigérateur) avant de servir.

salade de fruits épicée

Pour **6 personnes**
Préparation **15 minutes**
Cuisson **5 minutes**

1 gousse de **vanille**
175 ml d'**eau**
2 ½ c. à s. de **sucre en poudre**
1 petit **piment rouge** épépiné et coupé en deux
4 **clémentines**
2 **pêches**
½ **melon cantaloup** épépiné
75 g de **myrtilles**

Avec un petit couteau pointu, fendez la gousse de vanille en deux. Dans une casserole, faites chauffer l'eau et le sucre à feu doux, jusqu'à ce que le sucre fonde. Ajoutez la gousse de vanille et le piment, et faites chauffer encore 2 minutes. Retirez du feu et laissez refroidir pendant que vous préparez les fruits.

Pelez les clémentines et séparez les quartiers. Dénoyautez les pêches et coupez-les en tranches. Coupez le melon en petits morceaux et retirez-en l'écorce.

Mettez les fruits ainsi préparés et les myrtilles dans un plat de service et mélangez, puis nappez de sirop. Décorez avec le piment et la gousse de vanille (que vous ôterez avant de manger) et servez immédiatement, ou placez au réfrigérateur.

Pour une salade de fruits à l'italienne, mélangez dans un saladier 500 ml de jus d'orange pressée de bonne qualité et le zeste râpé de 1 citron. Ajoutez 2 pêches dénoyautées et coupées en tranches, 1 poire évidée et coupée en tranches, ½ petit melon coupé en morceaux et 150 g de grains de raisin coupés en deux. Incorporez 3 cuillerées à soupe de liqueur de cerise et 3 cuillerées à soupe de sucre. Placez au réfrigérateur puis servez frais.

lassi à la banane

Pour **4 personnes**
Préparation **10 minutes**

3 **bananes** mûres grossièrement coupées
500 g de **yaourt nature**
250 ml d'**eau froide**
1 à 2 c. à s. de **sucre en poudre**
¼ de c. à c. de **graines de cardamome** + un peu pour décorer (facultatif)

Mixez tous les ingrédients dans un robot jusqu'à obtenir une crème onctueuse.

Versez dans des verres longs et servez frais. Décorez de quelques graines de cardamome si vous le souhaitez. C'est une boisson parfaite pour le petit déjeuner.

Pour du lassi aux fruits d'été, utilisez juste 1 banane et remplacez l'eau froide par 250 ml de jus de pomme. Ne mettez pas de cardamome et ajoutez 200 g de framboises et 200 g de mûres.

affogato al caffe

Pour **4 personnes**
Préparation **10 minutes**

8 boules de **glace à la vanille** allégée
4 **espressos**

Prenez 4 tasses à cappuccino ou 4 coupes à dessert et remplissez-les avec 2 boules de glace chacune.

Versez 1 espresso dans chaque tasse et servez immédiatement avec des biscottis si vous le souhaitez.

Pour de l'affogato au moka, remplacez la glace à la vanille par 8 boules de glace au chocolat noir, versez le café comme ci-dessus et complétez avec 50 g de chocolat noir coupé en petits morceaux.

annexe

table des recettes

sur le pouce

pâtes, nouilles & riz

plats mijotés express

viandes & volailles

poissons & fruits de mer

recettes végétariennes

desserts

Découvrez toute la collection :

entre amis

- 200 recettes autour du barbecue
- À chacun sa petite cocotte
- Apéros
- Brunchs et petits dîners pour toi & moi
- Chocolat
- Cocktails glamour & chic
- Cupcakes colorés à croquer
- Desserts trop bons
- Macarons et tout petits gâteaux
- Verrines

cuisine du monde

- 200 bons petits plats italiens
- Curry
- Pastillas, couscous, tajines
- Spécial thaï
- Wok le tour du monde des recettes

tous les jours

- 200 plats pour changer du quotidien
- 200 recettes pour étudiants
- À table en moins de 20 minutes
- Cuisine du marché à moins de 5 euros
- Les 200 plats préférés des enfants
- Mon pain
- Pasta
- Pâtisserie facile
- Petits gâteaux
- Préparer et cuisiner à l'avance
- Recettes faciles
- Recettes pour bébé
- Risotto et autres façons de cuisiner le riz
- Spécial Débutants
- Spécial Poulet

bien-être

- 5 fruits & légumes par jour
- 21 menus minceur pour perdre du poids
- 21 menus minceur pour garder la ligne
- 200 recettes équilibrées pour manger de tout
- 200 recettes vitaminées au mijoteur
- Quinoa, boulghour lentilles & Cie
- Papillotes, la cuisine vapeur qui a du goût
- Poissons & crustacés faciles
- Recettes vapeur
- Salades
- Smoothies et petits jus frais & sains
- Petite bible de la cuisine sans gluten
- Soupes pour tous les goûts
- Pâtisseries & desserts à la stévia

SIMPLE
PRATIQUE
BON

POUR CHAQUE RECETTE, UNE VARIANTE EST PROPOSÉE.